Maffe meiden
Maffer dan ooit

Mirjam Mous

Maffe meiden
Maffer dan ooit

Van Holkema & Warendorf

ISBN 978 90 475 0654 6
NUR 283

Een aantal van deze verhalen werd eerder gepubliceerd in het tijdschrift
Tina, weekblad voor meiden van 9 t/m 13 jaar.
www.tina.nl

© 2008 Uitgeverij Van Holkema & Warendorf,
Unieboek BV, Postbus 97, 3990 DB Houten

www.unieboek.nl
www.mirjammous.nl

Tekst: Mirjam Mous
Illustraties: Samantha Loman
Vormgeving omslag: Petra Gerritsen
Zetwerk binnenwerk: ZetSpiegel, Best

Supergirl

'Hè, uit,' zei Teddie toen de aftiteling over het televisie-scherm rolde.

Het was zaterdagmiddag en we hadden net naar de film *Su-pergirl* gekeken.

Teddie is gek op actiefilms en streept ze altijd aan in de tv-gids om er niet eentje te missen. Zelfs de herhalingen.

'Het lijkt me hartstikke cool om Supergirl te zijn.' Ze zuchtte verlangend. 'Misdaad bestrijden, mensen redden.'

Jammer maar helaas. Zelfs een baantje als brandweervrouw zat er voor haar niet in.

Teddie is namelijk al vanaf haar geboorte verlamd. Ze zit in een rolstoel, die ze de Tedmobile noemt. Je weet wel: naar de Batmobile van Batman.

'Je mag oma gaan redden,' zei Teddies moeder, die met de telefoon de kamer binnen kwam. 'Ze heeft net gebeld dat ze met griep in bed ligt en geen boodschappen kan doen.'

De oma van Teddie woonde in de Kanaalstraat. We hadden van Teddies moeder de reservesleutel meegekregen. Teddie deed open en ik duwde haar rolstoel de smalle gang in.

'Oma, ik ben het!' riep ze keihard naar boven.

Ik hield mijn handen voor mijn oren.

'Sorry.' Teddie grinnikte. 'Maar anders denkt ze misschien dat we inbrekers zijn.'

Omdat Teddies oma geen rolstoellift had, ging ik in mijn eentje de trap op. Eigenlijk voelde ik me best wel een beetje een inbreker, want ik was nog nooit eerder boven geweest. Aarzelend bleef ik op de overloop staan. 'Mevrouw Teubner?'

'Hier,' klonk het zwakjes vanachter de tweede deur.

Teddies oma lag in bed met een dikke trui aan. Ze klappertandde. 'Hallo Maud, wat fijn dat jullie me komen helpen.' Ik keek naar het lege glas op het nachtkastje. 'Zal ik sinaasappels voor u uitpersen? Of hebt u soms trek in kippensoep?' (Volgens mijn moeder is dat het beste medicijn tegen verkoudheid en griep. Voel je je meteen weer kiplekker, zegt ze altijd.)

'Graag,' zei Teddies oma. 'En als jullie wat boodschappen willen doen?'

Ik knikte. 'Tuurlijk. Ik maak zo wel een lijstje.'

Ze knorde tevreden en draaide zich om. Ik liep zachtjes naar beneden.

Teddie plukte wat sinaasappels uit de fruitschaal. 'Daar staat de citruspers en daar de glazen.'

In de kelder vonden we een blik kippensoep.

'Blikopener, pan, soepkommen, lepels.' Teddie wees alles aan.

Ik verwarmde de kippensoep in een steelpannetje.

'Oma boft maar met ons,' vond Teddie. '

Ik trok mijn wenkbrauwen op. 'Ons?'

Dat was natuurlijk een grapje. Ik snapte heus wel dat Teddie me niet kon helpen. Het aanrecht en het fornuis waren te hoog voor iemand in een rolstoel. Tenzij je een Tedmobile met een straalmotortje had, zodat je kon opstijgen. (O ja, voor als je het nog niet wist: Teddie is dol op rolstoelhumor.

Ze wordt juist razend als iemand doet alsof ze zielig is.)
Teddie lachte (bewijs geleverd). 'Ik spaar mijn krachten liever voor het ruigere actiewerk.'
Ik schonk de soep in de kom en zette hem op het dienblad naast de verse jus. Op de vensterbank lagen een memoblokje en een pen.
'Voor de boodschappen.' Ik schoof ze onder mijn riem.
'Je lijkt net een echte serveerster,' vond Teddie.

Onderweg naar de super begon Teddie weer over de film. 'Waarom komen wij nou nooit eens een paar misdadigers tegen?'
'Alsjeblieft niet!' Ik rilde al bij het idee.
'Achtervolgen, klemrijden,' ging ze onverstoorbaar verder. 'Vastbinden en ze dan als een postpakketje op het politiebureau afleveren.'
'Je hebt niet eens een touw.'
'Maar wel een das.' Ze klopte op het knalrode breisel, een cadeautje van haar andere oma. 'Ik kan er een complete maffiabende mee vastknopen, dat ding is drie meter lang.'
Ik keek op mijn horloge. 'Schiet nou maar op, anders zijn ze dicht.'
Teddie reed meteen in een hogere versnelling en zong met het volume van een gettoblaster: 'Rolling rolling, rawhide!'
Straks werd ze zelf nog door de politie opgepakt. Voor geluidsoverlast.

We kochten fruit, koffie, brood, beschuit en nog zo'n tien andere dingen die op het boodschappenbriefje stonden. De tas was loeizwaar.
'Je kunt hem op mijn schoot zetten,' zei Teddie. 'Maar dan moet je wel duwen.'
Zwoegend en zwetend reed ik haar naar de Kanaalstraat. En toen gebeurde het.

Er klonk een angstaanjagende gil en daarna een plons.

'Vlug!' schreeuwde Teddie. 'Volgens mij is er iemand in het kanaal gevallen.'

Ik stuurde de Tedmobile van de stoep – hobbeldehobbel – over het gras naar de waterkant.

Pfff, het was maar een bal. Hij dreef als een bootje in het water.

'Daar!' Teddie wees met een trillende vinger naar beneden. Toen zag ik het spartelende jongetje pas. Af en toe ging hij kopje-onder en kwam dan sputterend weer boven. Met heel bange ogen.

Mijn hart draaide om.

'Naar de kant zwemmen!' schreeuwde Teddie tegen de jongen, terwijl ze met haar armen de zwemslag voordeed.

Hij gehoorzaamde meteen. Maar het water stond laag en de oever was steil en hoog. Om eruit te kunnen, moest je minstens zoals Supergirl kunnen vliegen. Zodra de jongen dat doorkreeg, begon hij te huilen. Hij kreeg acuut een slok water binnen en hoestte en proestte. Straks stikte hij nog!

Teddie dacht blijkbaar hetzelfde. 'Ik spring erin,' zei ze beslist en ze drukte zich op aan de armleuningen van haar Tedmobile.

'Ben je gek!' riep ik. 'Dan verzuipen jullie allebei!'

Teddie kon prima met haar armen zwemmen, maar niet met haar benen. Als ze die jongen boven water moest houden…

'Ik ga wel.' Ik keek naar het akelig zwarte water. Slik. Mijn benen bibberden en mijn maag zat ergens in mijn keel.

Het jongetje sloeg wild om zich heen en ging voor de zoveelste keer kopje-onder.

Opschieten! Ik haalde diep adem, kneep mijn neus dicht en sprong.

Een ijzige klauw sloot zich om me heen. Mijn kleren zogen zich vol en ik voelde me net een blok beton. Zwemmen!

Ik tuurde om me heen. Waar was het jongetje gebleven? Daar! Ik zwom naar hem toe en pakte zijn hoofd vast. Hij mepte me bijna een hersenschudding.

'Rustig!' hoorde ik Teddie roepen. 'Anders kan Maud je niet helpen!'

Het leek wel alsof ze hypnotiserende gaven had, want hij gehoorzaamde voor de tweede keer. Met uiterste inspanning zeulde ik hem mee en toen werd ik pas echt wanhopig. Van beneden af leek de oever nog hoger en steiler. Ik kwam *never* nooit niet op de kant en al helemaal niet met een jongen op mijn rug.

'Teddie!' Ik hoorde de paniek in mijn stem.

'Ik ben het alarmnummer al aan het bellen!' riep ze terug.

Het water was vreselijk koud. Ik probeerde niet op de kramp in mijn been te letten. Hoe lang zou het duren voordat de politie er was om ons omhoog te takelen? Vijf minuten? Tien minuten? Dat hield ik nooit vol!

'Teddie!'

'Niet opgeven, Maud! Ze komen zo.' Teddie klonk al net zo paniekerig als ik.

'Ik kan niet meer.' De tranen sprongen in mijn ogen.

'Wacht.' Het bleef even stil.

Heel even flitste het door me heen: ze was toch niet weggegaan? Maar toen kwam er een rood ding naar beneden. Het zakte en zakte, tot vlak bij mijn hoofd.

Teddies das!

Ik greep het uiteinde en zei tegen de jongen dat hij aan mijn nek moest gaan hangen. Als een aapje klemde hij zich aan me vast. Ik wikkelde de das stevig om mijn pols. Het was een prima reddingsboei, ik kalmeerde meteen.

'Zal ik jullie naar boven hijsen?' vroeg Teddie.

Hallo, dit was geen actiefilm maar écht.

'Ik wacht liever!' riep ik terug.

En toen leek het toch nog op een actiefilm. Ik hoorde loeiende sirenes.

'De politie, de brandweer en een ambulance!' riep Teddie opgewonden. 'Ze komen jullie allemaal redden!'

Een paar sterke brandweermannen hingen touwladders tegen de wand en klommen naar beneden. Ze visten ons uit het water, droegen ons naar boven en rolden ons op de oever. Een hysterische vrouw stormde op de jongen af. 'Menno!'

'Mama.' Hij barstte meteen weer in snikken uit.

Ik klappertandde nog erger dan Teddies oma. Een hulpverlener wikkelde snel een folieachtige deken om me heen. Menno werd eveneens ingepakt en daarna naar de ambulance gebracht. Zijn moeder stapte ook in, de deuren sloegen dicht en ze reden weg.

'Gaat-ie?' vroeg Teddie bezorgd.

'K-k-koud.'

'We brengen je even naar het ziekenhuis,' zei een politieagent.

'I-ik ben niet ziek.' Ik had meer behoefte aan hete kippensoep.

'Maar wel blauw.' Teddie keek de agent aan. 'Ik ga met Maud mee, hoor.'

Zij mocht op de voorbank en de Tedmobile en de boodschappentas gingen in de kofferbak. Ik zat achterin in mijn deken op een plastic zeiltje tegen het lekken.

De agent keek in zijn achteruitkijkspiegel. 'Jullie hebben het leven van die jongen gered. De meeste mensen zijn niet zo moedig.'

'Ja, Maud was geweldig,' zei Teddie trots.

'Ik niet alleen. Als jij niet op het idee van die das was gekomen...' Ik werd misselijk. Het had ook heel anders kunnen aflopen.

Teddie bekeek het breisel, dat behoorlijk was uitgerekt. Ze grinnikte. 'Volgens mij is hij nu vier meter.'

Teddie ging koffiedrinken met de agent. Hij wilde onze namen en adressen en een gedetailleerd verslag.

Ik werd naar een kamertje gebracht. Een verpleegster zei dat ik mijn natte kleren moest uittrekken en daarna duwde ze me onder een hete douche. Ze gaf me wegwerpondergoed. En een rare joggingbroek, een trui die een paar maten te groot was, sokken en badslippers, die ik mocht lenen.

Zodra Teddie me zag, gierde ze het uit.

'Ben ik even blij dat Lars er niet bij is,' zei ik. (Lars is mijn vriendje.)

'Ik wil wel een foto van je maken,' bood Teddie aan. 'Met mijn mobieltje.'

'Als je dat maar laat!'

Een dokter onderzocht me en daarna kon ik naar huis. Wanhopig keek ik Teddie aan. 'Zo ga ik dus echt niet over straat.'

Toen pakte ze alsnog haar mobieltje, maar dan om haar vader te bellen.

Hij haalde ons op met de auto. Ik wikkelde Teddies das om me heen en sloop naar buiten, terwijl ik uit alle macht probeerde om onzichtbaar te zijn. Het was jammer dat de wagen geen geblindeerde ramen had.

We draaiden de straat van Teddies huis in. Blijkbaar was mijn moeder ook ingeseind, want ze stond naast die van Teddie voor het raam op de uitkijk.

De wagen was amper geparkeerd of ze stoven naar buiten. Mevrouw Teubner op een paar pantoffels die nog een graadje erger waren dan mijn geleende badslippers. Ik bedoel: welke vrouw van boven de veertig draagt er nou nog leeuwensloffen?

'Alles goed met jullie?' Mijn moeder kneep in onze armen en schouders, alsof ze wilde controleren of we nog heel waren.

Mevrouw Teubner schudde non-stop haar hoofd. 'Ik werd zo ongerust toen oma belde dat jullie veel te lang wegbleven.' De boodschappen! Die stonden nog in het ziekenhuis.
'Oeps,' zei Teddie. 'We moeten nog even terug, geloof ik.'

's Avonds zaten Teddie en ik met een paar mensen uit onze klas op msn. We vertelden natuurlijk over ons avontuur. Lars stuurde meteen een hele rits hartjes en zoenende mondjes. Zooo lief! Mijn moeder voerde me liters kippensoep en mijn vader kwam wel honderd keer vertellen hoe trots hij op me was.
En toen was het maandag en moesten we weer gewoon naar school. Nou ja, gewoon...
Zodra we het plein op kwamen, werden we als popsterren onthaald.
'Goed, man!' riep Milan.
'Nou.' Lars sloeg bezitterig zijn arm om mijn middel.
'Heb je ook een beloning gekregen?' vroeg Melissa met eurotekens in haar ogen.
Teddie schudde grinnikend haar hoofd.
Ineke haalde een zak drop tevoorschijn. 'Jullie hebben wel een traktatie verdiend.'
Ze is de grootste snoepkont die ik ken. En de gulste. Toen haar cavia één jaar werd, trakteerde ze ons zelfs op taart!
Jessica kwam aanlopen. Met oren als schotelantennes. 'Is er iets?' vroeg ze.
'En of er iets is!' Ineke propte drie dropjes tegelijk in haar mond. 'Teddie en Maud zijn heldinnen. Ze hebben een jongetje uit het water gered.'
'Tsss, zal wel.' Jessica keek nadrukkelijk naar de Tedmobile. Kreng!
'Zonder Teddie waren we allebei verdronken,' zei ik fel.
Ineke knikte. 'Je bent gewoon jaloers.'
'Waarom zou ik?' Jessica bestudeerde verveeld haar nagels.

'Als het nou nog in de krant had gestaan…' Toen wandelde ze heupwiegend weg.

'Grrr.' Ineke zwaaide met haar dropzak. 'Ik had haar een blauw oog moeten slaan.'

Lars voelde aan zijn wenkbrauwpiercing en knikte.

Halverwege de les Nederlands stapte de directrice het lokaal binnen.

'Mag ik even storen?' vroeg ze plechtig aan de lerares.

'Van mij wel,' zei Wesley. 'Hoe langer, hoe liever.'

Ze keek hem streng aan. 'Ik had het tegen mevrouw Swarte.' Toen knikte ze naar de deuropening waar een groepje mensen stond te wachten.

Eén voor één stapten ze het lokaal in. Een man in een driedelig pak met stropdas en een aktetas in zijn hand. Een boom van een kerel met een fototoestel en…

Teddie en ik keken elkaar verbaasd aan. Wat deden Menno en zijn moeder hier?

De directrice schraapte haar keel. 'Maud en Teddie, willen jullie even naar voren komen?'

Dit was nog erger dan een beurt voor het bord. Ik vond het vreselijk dat iedereen me aangaapte.

Teddie niet. Ze keek genietend rond en fluisterde: 'Spannúnd.'

De man in het pak stelde zich voor als wethouder huppeldepup. Hij hield een toespraak over heldhaftige meiden. Het duurde even voordat het tot me doordrong dat hij Teddie en mij bedoelde. Toen schudde Menno's moeder ons de hand en bedankte ons met vochtige ogen. Menno moest ons ook een hand geven. Hij was net zo verlegen als ik.

'En dan mag ik jullie nu een medaille van de Maatschappij tot redding van drenkelingen uitreiken.' De wethouder haalde twee doosjes uit zijn aktetas. Er zaten koperen penningen met rood-zwart-groengestreepte lintjes in. Hij

speldde ze bij ons op. Toen werden we op de foto gezet, met Menno tussen ons in en de wethouder achter de Tedmobile.
'Morgen staat het in *De Telegraaf*,' zei de fotograaf.
Ineke gaf Jessica een stomp. 'Zie je nou wel?'
Jessica keek alsof ze net een fles azijn had leeggedronken.
'Hé, Teddie!' Wesley gaf haar een vette knipoog. 'Wanneer ga je bij mij mond-op-mondbeademing toepassen?'
Zoenen, bedoelde hij. Wesley de Brei is oversekst én meidengek.
Teddie stak haar tong uit. 'We redden alleen kleine kinderen en oma's.'
De wethouder gaf ons allebei nog een bos bloemen. Toen vertrok de voltallige felicitatiecommissie en brulde de klas het uit: 'Teddie en Maud, Teddie en Maud!' Ze sloegen met hun vuisten op de tafels en zelfs Swarte deed mee. Een voetbalstadion was er niks bij.
Teddie kneep in mijn arm en fluisterde gelukzalig: 'Ik voel me nog superder dan Supergirl.'

Moederdag

'Zo weinig?' vroeg Teddie verschrikt.

We hadden al ons zakgeld op haar bureau gemikt – nou ja, wat er nog van over was – en daarna onze broekzakken en tassen doorzocht op achtergebleven, vergeten muntjes en die er ook nog bijgelegd. Het was nog steeds niet genoeg om een fatsoenlijk moederdagcadeau te kopen. Laat staan twéé cadeautjes.

'Ik snap er niks van,' zei ik, terwijl ik door mijn haar wreef. 'Ik heb juist extra zuinig gedaan.'

'Anders ik wel.' Teddie kreunde. 'Ik heb alleen maar koeken gekocht.'

'En die zak drop,' zei ik.

'O ja, en jij die gave oorbellen.' Teddie dacht even na. 'En dat sjaaltje, maar dat kostte bijna niks.'

Nee, maar alle beetjes samen...

'We kunnen hoogstens een bosje tulpen kopen,' zei ik sip.

Ik zag ons al bij onze moeders aankomen: wel eerlijk samen delen, hoor.

'Die foto uit *De Telegraaf* inlijsten?' vroeg Teddie.

Het krantenartikel van onze reddingsactie hing bij haar thuis in de keuken op het prikbord.

'Heeft ze al gedaan,' zei ik. 'We staan op het nachtkastje van mijn ouders.'

We zwegen en kraakten onze hersens.

'Als we ze nou ieder één bonbon geven en die heel mooi verpakken?' Teddie smakte met haar lippen. (Ze is zo ongeveer verslaafd aan chocola.)

'Kan niet.' Ik draaide mijn ogen naar het plafond. 'Mijn moeder is weer eens op dieet.'

'Een bos worteltjes dan,' zei Teddie. 'Met een strik eromheen en een kaartje eraan: voor mijn allerliefste moeder.'

We moesten allebei lachen. Tot we weer naar het geld keken. Teddie zuchtte. 'Zaten we nog maar in groep 2.'

'Toen wilde je met Keesje van de ijscoboer trouwen,' zei ik grijnzend.

'Iek.' Ze wapperde mijn woorden weg. 'Nee, ik bedoel dat we dan gewoon een tekening konden maken. Of een asbak kleien. Voor nop.'

Het was alsof ze op een knopje had gedrukt. In mijn hersens ging een laatje open.

'Voor nop, dat is het!' riep ik. 'We verzinnen een moederdagcadeau dat niks kost. Een tegoedbon bijvoorbeeld, dat we het hele huis stofzuigen.'

'Hallo-ho.' Teddie wees naar haar Tedmobile.

Ik haalde mijn schouders op. 'Afstoffen dan. Dat kun je heus wel.'

'Ik háát afstoffen,' zei Teddie vol afschuw. 'Later neem ik mooi een werkster.'

Ik werd een beetje moe van Teddie. 'Verzin jij dan iets beters.'

'Oké.' Ze keek haar kamer rond. Haar ogen bleven op de spiegel rusten. Er hing een plankje onder, waar haar make-upspulletjes op lagen. 'Ik weet het!' riep ze enthousiast. 'We doen een beauty-verwendag. *Quality time* voor moeder en dochter.'

'En wie zal dat betalen?' vroeg ik.

'Niemand,' zei Teddie. 'Dat is nou juist het mooie: we maken alles zelf.'

16

En toen was het de tweede zondag in mei.

'Je krijgt je cadeau straks pas,' zei ik tegen mijn moeder. 'Om elf uur. Bij Teddie thuis.'

'Bij Teddie?' Ze keek me nieuwsgierig aan.

'Ja, haar moeder krijgt hetzelfde.' Ik pakte mijn jas van de kapstok. 'We moeten alleen nog een paar dingen voorbereiden.'

Het was hartstikke handig dat mijn moeder op dieet was. De koelkast lag vol met nuttige (en nog belangrijker: gratis) ingrediënten. Komkommerschijfjes waren volgens Teddie heel goed tegen wallen. Net als natte theezakjes trouwens. Worteltjessap was onmisbaar als je wilde ontslakken en je ging er nog beter van zien ook.

Met een plastic tas vol boodschappen ging ik naar Teddies huis.

We stalden alles uit op haar bed. Niet alleen de groenten, maar ook schaaltjes en lepels en nog veel meer.

'Ons beautylab,' zei Teddie plechtig. 'Goed, wat hebben we allemaal nodig?'

Ik voelde aan mijn wang. 'Iets om je gezicht te scrubben?'

Teddie knikte en reed via de overloop naar de badkamer. Ze kwam terug met een potje gel. 'Van mijn vader.'

Ik tikte tegen mijn voorhoofd. 'Dat is voor je haar, gek. Niet voor je huid.'

'Gel is gel,' vond Teddie.

'Maar in scrubgel zitten altijd van die korreltjes,' zei ik.

Teddie reed naar de cactus, die in een pot op haar vensterbank stond. Op de aarde lagen piepkleine steentjes. 'Hier gaat het ook wel mee.' Ze deed wat gel in een kopje en mixte de steentjes erdoor. 'Nu een maskertje.'

'Mijn moeder gebruikt meestal kleimaskers,' zei ik.

Teddie trok meteen een aha-gezicht. 'We hebben boetseerklei in huis. Voor Lieske.'

Lieske is het dochtertje van Teddies zus.

'Boetseerklei?' Volgens mij konden we toch maar beter die asbak maken...

Maar Teddie liet zien hoe het moest: 'Gewoon wat water erbij en dan tot een papje roeren.'

Het zag er inderdaad heel professioneel uit.

'Jemig, man,' zei ik bewonderend. 'Je kunt zo op een beauty-farm gaan werken.'

Om kwart voor elf verhuisden we alle spullen naar de woonkamer en legden een paar handdoeken klaar. Teddies moeder hadden we zolang naar de keuken verbannen.

Om elf uur ging de bel.

Ik keek door het raam. 'Mijn moeder.'

'Doe jij open, dan roep ik de mijne.' Teddie sjeesde naar de keuken. 'Mam, je mag binnenkomen!'

'Een verwendag?' zei mijn moeder verrukt.

'Wat een leuk idee!' Teddies moeder gaf die van mij een stootje. 'Gezellig samen met onze grote dochters.'

Mijn moeder ging in een stoel zitten. Ik sloeg de handdoek om haar schouders. Teddies moeder mocht op de bank gaan liggen, dan kon Teddie er beter bij.

'Dan gaan we eerst jullie gezicht lekker scrubben,' zei Teddie op het toontje van een schoonheidsspecialiste.

We schepten een handje haargel uit het kopje en masseerden er de wangen van onze moeders mee.

'Au,' zei Teddies moeder.

Oeps, die steentjes, natuurlijk.

'Dat hoort erbij,' zei Teddie. 'Wie mooi wil zijn...'

Maar toen ik mijn moeders gezicht weer afspoelde, zag ze wel een beetje rood. Nou ja, na dat maskertje zou het wel wegtrekken.

'Een kleimasker,' legde Teddie uit, terwijl we de pap uitsmeerden. De ogen lieten we vrij, want daar moesten de theezakjes komen.

'Je mag vijf minuten niet praten,' zei ik. 'Anders komen er barstjes in.'

Maar na twee minuten zei mijn moeder al dat ze zo'n trekkerig gevoel in haar gezicht kreeg. Teddie en ik keken elkaar even aan. Tja, het was natuurlijk wel gewone boetseerklei...

'De vijf minuten zijn om,' zei Teddie vlug.

Het viel nog niet mee om de klei van mijn moeders huid af te krijgen. Er klonk een schurend geluid, waardoor ik even bang was dat haar hele vel meekwam. Dat was gelukkig niet zo, maar haar huid leek wel verbrand.

'Yoghurt werkt verkoelend,' fluisterde Teddie.

Zo zachtjes mogelijk wreef ik de yoghurt in mijn moeders knalrode huid. Daarna legde ik er voor de zekerheid ook nog maar wat komkommerschijven op.

'Willen jullie intussen een gezond wortelsapje?' vroeg Teddie opgewekt.

We schonken twee flinke glazen in. Ik hoopte dat het beter smaakte dan dat het rook.

'Meiden, dit is geweldig,' zei Teddies moeder. 'Wat een verwennerij.'

'Nou.' Mijn moeder knikte net iets te hard, zodat er een komkommerschijfje crashte. 'Al die maskertjes. Jullie moeten weken gespaard hebben.'

'We hebben alles zelf gemaakt,' zei Teddie trots. 'Het kostte wel wat moeite, maar ja, voor onze moeders...'

'Z-zelf gemaakt?' Mijn moeder ging rechter zitten, zodat ook de rest van de komkommerschijfjes van haar gezicht gleed. 'Maar waarvan dan?'

'Onze recepten houden we liever geheim,' zei Teddie. 'Voor het geval we een handeltje willen beginnen.'

Ik zag het al voor me: de Teddie & Maud beautysalon.

De moeder van Teddie kwam overeind. 'Eerlijk gezegd...'
'Ja.' Mijn moeder veegde met de handdoek haar wangen schoon. 'Het voelt allemaal wel een beetje raar.'
'Dat hoort erbij,' zei Teddie ongeduldig. 'Wie mooi wil...'
Haar mond bleef openhangen. Ze keek naar mijn moeder.
Ik volgde haar blik en toen zag ik het ook. Niks mooi! Mijn moeders huid was rood en pukkelig. Ze zag er niet uit!
Teddie en ik werden ook knalrood, maar dan van het blozen.
'I-ik geloof dat er iets niet helemaal goed is gegaan,' stamelde ik.
Teddies moeder begon nu ook te boenen.
En precies op dat moment kwam Teddies vader de kamer binnen. Hij keek naar onze moeders alsof het buitenaardse wezens waren. 'Wat hebben jullie in hemelsnaam uitgespookt?'
'Beautydag,' zei mijn moeder. 'Van onze dochters.'
'Beauty?' Teddies vader grinnikte. 'Ik vind het meer *the beast*.'
Hij had gelijk. Als ik mijn moeder was, zou ik alleen nog met een zak over mijn hoofd de straat op durven.
'Het spijt me,' fluisterde ik.
Teddie knikte. 'Het was echt goed bedoeld.'
Onze moeders keken elkaar even aan.
'Er zit maar één ding op,' zei Teddies moeder.
Mijn moeder knikte. 'Een échte beautysalon.'
'Yes!' juichte Teddie.
'Jullie hebben anders perzikhuidjes,' zei haar moeder.
Het was dat Teddie in een rolstoel zat, anders was ze waarschijnlijk op haar knieën gaan zitten. 'Samen met jullie grote dochters is toch veel gezelliger?' zei ze met een smekend gezicht.
Ik knikte hevig. 'Vooral op Moederdag.'

Een uur later lagen we in heerlijk luie stoelen in een beautyfarm aan de rand van de stad. Onze moeders kregen verzachtende en verkoelende maskers en crèmepjes. Teddie en ik kozen een peeling en een masker van klei.

'Vast geen boetseerklei,' fluisterde ik.

'Niet praten,' zei Teddie. 'Anders komen er barstjes in.'

Aan het eind van de dag was ik helemaal rozig. Voordat we naar huis gingen, dronken we nog een sinaasappelsapje aan de bar.

'Volgend jaar doen we het weer,' zei Teddie zachtjes in mijn oor. 'Dit was de beste Moederdag ooit.'

Geestig

We hadden ons met een stapel tijdschriften, twee glazen cola en een bak popcorn in Teddies kamer geïnstalleerd. Krezip zat in de cd-speler en ik wipte met mijn voet mee op de maat. Teddie graaide in de schaal. Ik krijg altijd een beetje kippenvel van popcorn. Het smaakt wel lekker, maar het heeft ook iets van piepschuim. Dus nam ik er af en toe maar eentje.

Ik bekeek een artikel over hoe je zelf scrubs en gezichtsmaskertjes kon maken. Gemalen zonnebloempitten en tarwezemelen met yoghurt of melk vermengen (scrub). Honing verwarmen en op je wangen smeren (maskertje).

Dat hadden we eerder moeten weten!

'Die is gek,' zei Teddie ineens. 'Moet je horen.' Ze las met een dramatische stem voor. 'Een vrouw uit Texas beweert dat haar overleden man in een hond is gereïncarneerd. Op de dag na de begrafenis zat er plotseling een Yorkshire Terriër voor haar deur. Hij glipte naar binnen en ging meteen op de stoel liggen waar haar echtgenoot altijd op zat. Omdat ze wel wat troost kon gebruiken, liet ze hem blijven. Al snel bleek dat de hond wel erg veel op haar man leek: dol op dezelfde koekjes, een ochtendhumeurtje, en allebei fan van het tv-programma *Oprah*. De vrouw wist het zeker: haar man was teruggekomen in de gedaante van de hond.'

'Tsss.' Ik gooide een stukje popcorn in de lucht en probeerde het met mijn mond op te vangen. Mis.

'Het wordt nog veel gekker,' zei Teddie. 'De hond bleek gewoon een baasje te hebben en die wilde hem natuurlijk terug. Nu heeft de vrouw een rechtszaak aangespannen. Ze eist dat zij de hond mag houden, aangezien ze twintig jaar geleden met hem is getrouwd. Ze is zelfs bereid hun huwelijksgelofte te vernieuwen.'

'Wat is daarop uw antwoord? Woef!' Ik liet me achterover op het bed vallen. 'Arme hond!'

'Stel je voor dat het echt zou kunnen...' Teddie draaide aan haar oorbel. 'Dan zwemt tante Magda misschien ergens rond als goudvis.'

'Nou ja.' Ik steunde op mijn ellebogen. 'Altijd nog beter dan dat ze als een geest op de rand van je bed komt zitten.'

Teddie grinnikte. 'Kun je wel gezellig bijkletsen.'

Gezellig? Het leek me doodeng.

'Eigenlijk zou het best handig zijn,' ging Teddie verder. 'Dan kan opa's geest oma komen verzorgen als ze weer eens ziek is.'

'Ja, hoor.' Ik zag het al voor me: een spook dat in de keuken in een pannetje kippensoep roerde. Of een doorschijnende opa die boodschappen ging doen.

Teddie zuchtte. 'Ik zou best nog eens met hem naar de bioscoop willen.' Ze staarde voor zich uit en frummelde aan het tijdschrift. Er kwamen vouwtjes in het blad.

'Hij was superaardig,' zei ik zacht.

'En grappig.' Ze knipperde verwoed met haar ogen.

Ik ging er bijna van huilen. Dat heb ik altijd als iemand anders verdrietig is. Net zoals ik ook altijd moet overgeven als iemand anders heeft gebraakt. Teddie is veel flinker dan ik. Ik heb nog nooit een traan over haar wang zien rollen. Zelfs bij superzielige films houdt ze het droog.

Ook nu weer. Er verscheen zelfs een lachje op haar gezicht.

'Volgens mij zou opa het best leuk vinden om rond te spoken. *The others* en *The sixth sense* waren zijn favoriete films.'
Brrrr. 'Doe mij maar *Casper het spookje*.'
Teddie grinnikte. 'We zijn ook een keer naar een film geweest waarin ze geesten opriepen.'
Er ging een rilling langs mijn ruggengraat. 'Eng.'
'Welnee. Het was juist geinig.' Ze fronste haar voorhoofd en begon ineens te stralen. 'Zullen wij het ook eens proberen?'
'Echt niet!' riep ik.
Maar ze reed al naar haar bureau en trok een la open. 'Zouden er ook geesten in rolstoelen bestaan?'
Ze was nog gekker dan die vrouw uit Texas!
'Tuurlijk niet,' zei ik. 'Er bestaan zelfs geen gewone geesten.' Ik wist niet of ik mezelf of Teddie probeerde te overtuigen.
'Dan kan het zeker geen kwaad.' Ze pakte papier, een pen en een schaar.
'Maar als ze nou toch bestaan?' Ik kreeg kippenvel. (En dat kwam nu dus niet van de popcorn.) 'Het is veel te gevaarlijk om met zulke dingen te spotten.'
'Ik spot helemaal niet.' Ze knipte vastberaden kleine vierkantjes van het papier.
Zucht!
Ik gleed van het bed. 'Kunnen we niet gewoon een potje gaan monopoliën?'
'Saai.' Ze schreef op ieder vierkantje een letter. Met het puntje van haar tong uit haar mond.
'Voor hetzelfde geld roep je een kwade geest op.' Ik ging achter haar staan en kneep in de handvatten van de Ted-mobile. 'Een dooie moordenaar of zo.'
'Beter dan een levende.' Ze keek even om. 'Maar je hoeft niet mee te doen, hoor.'
En Teddie met een stel geflipte geesten alleen laten? *No way*!

Ze legde de vierkantjes met letters in een cirkel op het bureaublad. In het midden kwamen twee briefjes, eentje met JA en eentje met NEE erop. Toen dronk ze haar glas leeg en zette het ondersteboven in de cirkel. 'Doe jij de gordijnen dicht?'

'Hoezo?' Ik vond het met open gordijnen al spannend genoeg.

'Geesten houden niet van daglicht.'

'Maar dan zie ik niks.'

'Maak je niet druk.' Ze viste theelichtjes en lucifers uit haar la. 'We steken natuurlijk kaarsjes aan.'

Teddie zette de muziek uit. Zonder Krezip was het ineens raar stil in haar kamer. En donker! Alleen de theelichtjes verspreidden een geheimzinnig flakkerend licht. Ik zat op het puntje van mijn stoel naast de Tedmobile en kon mijn hart horen bonken.

'We gaan beginnen,' zei Teddie plechtig.

Ik lachte van de zenuwen.

'Niet lachen.' Ze gaf me een por. 'Als je niet serieus bent, komen ze niet.'

Ik kreeg heel veel zin om een mop te vertellen.

'Stel jezelf open en verlos je van alle blokkades.' Ze keek strak voor zich uit alsof ze in trance was.

'Welke blokkades?' vroeg ik voor de zekerheid.

'Weet ik veel,' zei Teddie. 'In de film ging het ook zo.'

Ik moest alweer lachen.

'Concentreer je nou, anders lukt het nooit.' Ze gaf me opnieuw een stomp.

Als dit zo doorging, zat ik vol blauwe plekken eer die geesten kwamen.

'Leg je wijsvinger op het glas.' Teddie deed het voor. 'Als we dan een vraag aan de geest stellen, kan hij antwoord geven.'

'Hij gaat toch niet echt praten?' vroeg ik zenuwachtig.

Ik zag al voor me dat Teddies mond openging en er dan de stem van iemand anders uitkwam.

'Nee, joh,' antwoordde ze. 'Hij laat alleen maar het glas naar de kaartjes bewegen. Hij kan ja of nee zeggen. Of bijvoorbeeld van letter naar letter schuiven en zo zijn naam spellen.'

Alleen maar!

'Oké dan.' Ik legde mijn wijsvinger naast die van Teddie.

'Geest, bent u daar?' vroeg ze met een mistige stem.

Pfff, er gebeurde niets.

'Geest, bent u daar?' zei ze iets harder.

Bonk!

Onze vingers vlogen van het glas.

'Wat was dat?' vroeg ik benauwd.

Boenkrrr.

'Misschien een klopgeest.' Teddie klonk niet meer zo stoer als eerst.

Boenkrrr.

We pakten elkaars hand vast.

Boenkrrr.

'In de film ging het heel anders,' fluisterde Teddie.

Boenkrrr.

We durfden geen haartje meer te bewegen.

Boenkrrr.

Ga weg! dacht ik. Ga weg! Ga weg!

Boenkrrr. Stilte. Boenkrrr.

Ik plaste bijna in mijn broek van angst. 'Volgens mij zit hij op het dak.'

'De geest van Sinterklaas,' zei Teddie die ineens overal in geloofde.

Boenkrrr. En toen… voetstappen!

Dat was de druppel. Ik sprong van mijn stoel en rende naar de overloop. Teddie reed achter me aan, het plateautje van de traplift op. Ze drukte op het knopje en ging tergend langzaam naar beneden. Ik stond al in de gang en sprong ongeduldig op en neer. Hèhè, eindelijk, daar was ze. We haastten ons de woonkamer in. Hij zag er heel gewoon uit. Licht, gezellig en geest-proof.

Teddies moeder zat op de grond bij de open haard de krant te lezen. 'Is er iets?'

We keken elkaar aan. Het idee dat er geesten bestonden, leek plotseling volkomen belachelijk.

'Ehm,' zei ik. 'We…'

Weer rare geluiden! Gekras. En daarna: Plok!

Ik kreeg bijna een hartverlamming van schrik en Teddie zo te horen ook. We gilden in stereo en toen kreeg Teddies moeder ook bijna een hartverlamming van schrik omdat wij zo gilden.

'Doe even normaal!' riep ze boos. 'Wat hebben jullie toch?'

'Geesten kunnen door muren zweven,' zei Teddie met een bibberstem.

'En door daken en plafonds. En nu is hij…' Ik durfde nog steeds niet naar de open haard te kijken. 'Daar.'

Teddies moeder barstte in lachen uit.

'Maud,' zei Teddie.

Vanuit mijn ooghoeken keek ik naar de open haard. Er lag een soort egel in met gigantische ijzeren stekels. Langzaam ging hij omhoog. Krrr, krrr.

Ergens begon er iets te dagen. De krant voor de open haard waar nu een laagje roet op lag. De voetstappen op het dak. Zodra ik door het raam keek en een ladder tegen het huis zag staan, wist ik het zeker. Boenkrrr. Dat waren natuurlijk de dakpannen! Die moest je opzijleggen als je naar de nok wilde lopen.

'De schoorsteenveger!' riep ik uit.

'Dat mogen jullie dus nooit meer doen,' zei Teddies moeder. 'Van glaasje draaien kun je vreselijk overstuur raken.'

27

Ja, dat had ik gemerkt.

'Ik heb het vroeger ook wel eens gedaan.' Ze schudde haar hoofd. 'Als je niet lekker in je vel zit, kan het je zo angstig maken dat je je van alles gaat verbeelden. Een vriendinnetje van me had er nog wekenlang nachtmerries van.'

'Ik was inderdaad best wel bang,' gaf ik toe.

'Best wel?' Teddie grijnsde. 'Je leek net zo'n kip zonder kop.'

'En jij dan?'

We gierden het uit.

'Zo geestig is dat niet,' zei Teddies moeder.

Geestig! We kwamen niet meer bij.

Toen sloeg Teddie met haar hand tegen haar hoofd. 'De kaarsjes!'

We gingen vlug naar boven om ze uit te blazen.

Horrorfeest

'Is het wel bloederig genoeg?' vroeg Teddie.
Hallo! Ik had een hele fles ketchup op haar witte trui leeg-
gespoten. Er zaten bloedrode vlekken op haar borst, buik en
mouwen.
'Bloederiger kan niet,' zei ik stellig. 'Je ziet eruit alsof je net
een varken hebt geslacht.'
Ze reed haar Tedmobile naar de spiegel en klakte tevreden
met haar tong. 'Heftig. Nu de dolk nog.'
Die kwam van de fopshop. Eigenlijk was het maar een halve
dolk: een handvat met een piepklein stukje lemmet, waar-
uit een paar pinnetjes staken. Er hoorde ook nog een schijfje
met gaatjes bij. Teddie priemde de pinnetjes door de ketch-
upvlek op haar borst en schoof het schijfje onder haar trui.
Toen wurmde ze de pinnetjes in de gaatjes en – huppekee –
de dolk zat vast.
'Wat vind je van mijn broche?' vroeg Teddie grinnikend.
'Gruwelijk,' antwoordde ik, want het leek alsof de dolk haar
hart echt doorboorde. 'Bijna net zo eng als geesten oproe-
pen. Maar ik zou wel een luchtje opdoen, want je stinkt naar
tomaat.'
Teddie spoot een wolk parfum over zich heen. Toen rook ze
naar bloemen met tomaataroma. 'Nu jij.'
Ik ging op haar bed zitten. Teddie zette de schminkdoos op

haar schoot en parkeerde haar Tedmobile nog net niet ín mijn knieën. Ze doopte een vochtig sponsje in de witte schmink. 'Ogen dicht.' Ze wreef mijn gezicht in.

'Het kriebelt,' zei ik.

'Niet praten.' Teddie tekende van alles in de buurt van mijn mond. Volgens mij werd het een compleet schilderij, want het duurde en duurde.

'Kijk maar!' riep ze toen eindelijk, en ze hield een spiegeltje voor mijn neus.

Een akelig bleek gezicht staarde me aan. Uit mijn onderlip groeiden een paar fikse vampiertanden en bij mijn mondhoek had Teddie met vuurrode lippenstift een spoortje bloed gemaakt.

'Goor.' Ik grijnsde.

'Nu nog een beetje gel.' Teddie schepte de pot zo ongeveer leeg en smeerde het plakkerige goedje over mijn hoofd.

Ik voelde een klodder naar mijn oog glijden. 'Noem je dat een beetje?'

'Vampiers hebben altijd plat haar en anders blijft het niet zitten.' Teddie kamde mijn haren achterover. 'Klaar.'

Het leek net alsof ik een te strakke helm ophad. 'Mijn haar is keihard. Straks breekt het nog af.'

'Zeurpiet.' Teddie wuifde mijn woorden weg.

Ik trok de zwarte vampiercape aan, die ik op het bed had klaargelegd.

'Wie mooi wil zijn, moet pijn lijden,' zei Teddie toen ook nog.

Net als met Moederdag zeker?

Ik keek in de spiegel. 'Nou ja, mooi…'

De aula van onze school was in de balzaal van een spookkasteel veranderd. Een rookmachine blies een geheimzinnige mist door de ruimte en aan het plafond hingen gigantische spinnen en vleermuizen aan draadjes. Een kroonluchter met flakkerende nepkaarsen wierp een fluwelig licht over de dansvloer. HEKSENDRANKJES EN GRUWELCHIPS stond er op een bord boven de bar. De letters waren versierd met spinnenwebben.

Er kwam een spook met een zakje chips op ons af. 'Hoi!'

'Ineke?' vroeg ik.

Het spook knikte. 'Ik trek mijn laken nooit meer uit,' zei ze. 'Perfecte dikkebillencamouflage.'

Ik tuurde om me heen. 'Heb je Lars al gezien?'

'Nee,' antwoordde ze. 'Maar dat zegt niks. Milan herkende ik eerst ook niet.'

Ze wees naar een jongen in een lange jas. Hij had geen hoofd. Niet op zijn lijf tenminste. In plaats daarvan droeg hij het onder zijn arm.

'Geen gezicht,' zei Teddie lachend.

'Ik ga even vragen of hij weet waar Lars is.' Met een wapperende cape stapte ik op hem af. 'Hé, Milan.'

'*My name is Bad Ed*,' klonk een griezelige bromstem. '*And this is my head*.' Milan tilde het afgehakte hoofd aan de oranje peentjesharen op en liet het voor mijn ogen bungelen.

Jakkes, het leek gruwelijk echt!

'Waar is Lars?' vroeg ik vlug.

Bad Ed bleef in zijn rol. 'Geen idee.' Zelfs zijn bulderlach was eng. 'Ik heb er mijn kop niet helemaal bij vanavond.'

Grrr. Ik had zin om hem als een echte vampier in zijn nek te bijten. Er was maar één probleem: hij had geen nek.

'Doe niet zo flauw,' mopperde ik.

'Ik weet het echt niet,' zei hij toen met zijn gewone stem. 'Ik zie bijna niks met die jas.'

Kreun! Ik ging weer bij Teddie en Ineke staan.

'En?' vroeg Teddie.

Ik hield mijn duim omlaag. 'Bad Ed is blind en hersendood.'

'Je moet gewoon iedereen afgaan,' zei Ineke. 'We beginnen met de dansvloer.'

We keken naar een heks in een minirok op huizenhoge hakken. Haar nagels waren zo'n vijf centimeter lang en ze slowde met een bezemsteel.

'Jessica,' mompelde Teddie. 'Eens een heks…'

'Die zombie dan?' Ineke wees naar een jumpende jongen met wallen van hier tot Tokio.

'Lars heeft grotere voeten,' zei ik.

Er danste ook nog een skelet rond. Maar Lars zat op krachttraining en was veel gespierder.

'Die weerwolf, wedden?' Teddie trommelde op de armleuningen van haar Tedmobile.

Ik kneep mijn ogen tot spleetjes. 'Nee, die heeft geen wenkbrauwpiercing.'

Ineke draaide zich om, zodat ze de griezels aan de tafeltjes kon controleren. 'Dat monster is Swarte.'

Onze lerares Nederlands? Ik kon het bijna niet geloven. Tot ze haar masker afzette en met een zakdoek het zweet van haar voorhoofd veegde.

Een wezen met drie hoofden kwam naast ons staan. Ik dacht heel even dat het Lars was, maar toen zei het wezen: 'Zin in een triootje?'

Wesley de Brei, dus. Die dacht altijd maar aan één ding.

'Boe!' riep Ineke Spook.

'Ik bloed nog liever dood,' zei Tomatenketchup Teddie.

'Heb je Lars gezien?' vroeg ik.

Wesley schudde met alle drie zijn hoofden, wat ik toch behoorlijk knap vond.

We keken weer de zaal in. Bij de verwarming zaten alleen maar gothic meiden en bij de bar… Nada, noppes. Wel kwam er een bloederig meisje met een bijl in haar hoofd voorbij.

'Melissa!' Teddie klopte op haar dolk. 'We lijken net bloedzusters.'

'Heeft er iemand paracetamol bij zich?' vroeg Melissa met een klaaglijk stemmetje. 'Ik heb zo'n hoofdpijn.'

Haha.

Ik tikte op haar arm. 'Heb je Lars gezien?'

Ze schudde van nee en de bijl schudde mee. Toen liep ze naar Jessie om een paracetamolletje te vragen.

'Ik gooi het bijltje er ook bij neer.' Teddie keerde haar Ted-mobile. 'Ik ga heksencola halen. Jullie ook iets?'

'Cola,' zei ik afwezig.

'IJsthee.' Ineke toverde een consumptiebon onder het laken vandaan. 'Ik loop wel even mee.'

Ik bleef staan en speurde nog steeds rond. Een spinnen-vrouw, iemand in een vleermuizenpak en...

Mijn hart sloeg over. Daar! Op het bankje bij de koffieauto-maat zat een mummie. Hij was van top tot teen ingepakt. Wat een perfecte vermomming! Ik keek naar zijn voeten. Sneakers. Ja hoor, het was Lars!

Ik trok mijn cape recht en liep naar het bankje. 'Hoi.'

Lars stak zijn hand op.

'Je had wel even mogen zwaaien, voor hetzelfde geld had ik je niet zien zitten.' Ik plofte naast hem. 'Maar je ziet er wel geweldig uit!'

Lars knikte. Ik gokte dat het 'bedankt' betekende.

'Heb je het niet bloedheet in dat verband?' vroeg ik.

Hij mompelde iets, maar ik kon het niet verstaan.

Ik begon zijn outfit al iets minder geweldig te vinden. 'En als je nou moet plassen?'

Nog meer gemompel. Het was letterlijk én figuurlijk inge-wikkeld om met een mummie te kletsen. Hints! flitste het door me heen. Maar daar had je je vingers voor nodig en zijn handen waren als wanten ingepakt.

Teddie kwam aangesjeesd. 'Ha, je hebt hem gevonden.'

'Gaaf!' Ineke droeg de drankjes. 'Precies *The return of the mummy*!'

Ik nam mijn cola aan. Lars tilde met zijn twee wanthanden zijn flesje sinas op. Heel klunzig. 'Ik help je wel even, schatje,' zei ik en ik wurmde het rietje tussen de repen verband rond zijn mond.

'Lekker handig als je wilt zoenen, maar niet heus.' Ineke schoof haar laken omhoog zodat ze kon drinken.

Teddie wilde ook een slok nemen, maar haar hand met het flesje bleef halverwege in de lucht hangen. 'Maud,' fluisterde ze.

'Wat?' Ik volgde haar blik naar de deur en...

Ik wist zeker dat ik knalrood werd, dwars door de witte schmink heen. Er stapte een vampier met een wenkbrauwpiercing binnen. Lars!

'Ik had een lekke band,' zei Lars. 'Daarom ben ik zo laat.'

Ik gluurde over mijn schouder naar de mummie en probeerde me te herinneren wat voor verschrikkelijke dingen ik tegen hem had gezegd. Iets over plassen en...

'Ik ben erachter wie het is!' Teddie kwam zo hard aanrijden dat haar dolk op en neer wiebelde.

'Wie dan?' Ik duwde mijn nagels in mijn handpalmen.

'Van Brugge,' zei Teddie.

Onze leraar wiskunde! Ik kon wel door de grond gaan.

'Is er iets?' vroeg Lars.

'Ze dacht dat jij die mummie was.' Teddie wees heel onopvallend naar de koffieautomaat.

'Ze heeft hem sinas gevoerd,' zei Ineke giechelend.

Het schoot als een bliksemschicht door me heen.

'Het is nog veel erger,' piepte ik. 'Ik heb hem ook nog schatje genoemd.'

'Over horrorscènes gesproken!' Teddie gierde het uit.

De keetkeet

'Groot nieuws!' riep Wesley de Brei toen hij het schoolplein op kwam.

'Je mag een abonnement op de *Playboy*,' raadde Teddie.

'Nog veel beter.' Hij wurmde zich tussen ons in. 'Jamel heeft met een stel vrienden een caravan gekocht.'

Jamel is de broer van Wesley. Hij zit in de hoogste klas en scheurt altijd rond op een brommer met een kapotte knalpijp.

'Leuk voor ze,' zei ik. 'Maar daar heb jij toch niks aan?'

'Echt wel. Ze hebben hem in onze tuin gezet, achter de schuur.' Wesley leunde op de Tedmobile. 'Dé perfecte hangplek en dan ook nog op kruipafstand.'

'Een bierkeet, dus,' zei Lars op een toon alsof hij elke avond vet ging stappen.

(Dat vind ik het enige stomme aan jongens: ze moeten altijd zogenaamd stoer doen. Lars komt hoogstens in de snackbar en drinkt – Gelukkig! – alleen maar cola of ijsthee.)

'Precies!' Wesley zweeg even om de spanning op te voeren. 'Vrijdag wordt hij officieel ingewijd en ik mag jullie ook uitnodigen.'

'Yes!' Milan gaf Wesley een high five. 'Ik ben wel in voor een feestje.'

'Als je maar niet denkt dat ik ga comazuipen,' waarschuw-de Ineke.

'Hoogstens coma-eten.' Teddie grijnsde.

'Een vreetkeet.' Ineke ging meteen rond met een zak zuur-tjes. 'Daar heb ik geen problemen mee.'

'Dus jullie komen?' Wesley straalde als een jarig jongetje. 'Zonder meiden is er niks aan.'

'Ik weet niet of ik wel mag.' Of beter gezegd: of ik wel wil-de. Jamel had een baantje als vakkenvuller in de super en daar werd je niet echt rijk van. Dikke kans dat die caravan op een soort rovershol zou lijken en ik had weinig zin om in het donker tussen de bierkratten te zitten.

'Je kunt het toch vragen?' Lars deed zijn scheve lachje.

Ik smolt. 'Oké, dan.' Toen dacht ik pas aan de Tedmobile. 'Is er wel een rolstoelingang?'

Teddie knikte. 'Ik ga niet de hele avond in mijn eentje bui-ten zitten.'

'Als de Tedmobile er niet doorheen past, draag ik je hoogst-persoonlijk door de deur,' beloofde Wesley.

Jessica kuchte. Ze had de hele tijd haar mond gehouden, wat voor haar doen behoorlijk bijzonder was. 'Dus Jamel en zijn vrienden zijn er ook?'

Ze valt op oudere jongens omdat die al willen zoenen. Nou ja, eigenlijk valt ze op alle jongens, zolang ze er maar goed uitzien.

'Natuurlijk,' antwoordde Wesley. 'Het is hun caravan.'

'Ooooké.' Ze klonk wel vaker als een vertraagde bandopna-me. 'Maar ik zou hem toch eerst wel eens willen bekijken.'

'Jamel?' vroeg Teddie liefjes.

'De caravan natuurlijk.' Jessica plukte een denkbeeldig pluisje van haar mouw.

'Goed plan!' riep Melissa meteen. 'Even checken of hij vrouwvriendelijk is.'

Dat was hij dus niet.

De roestige caravan stond op blokken en iemand – waarschijnlijk Jamel – had er met grote letters KEETKEET op geschilderd. Toen Wesley de deur opendeed, kwam een bedompte lucht ons tegemoet.

'We hebben zelfs elektriciteit,' zei hij trots en hij drukte op een knopje.

Er sprong een oogverblindende tl-buis aan. We stommelden naar binnen en knipperden tegen het felle licht. Het leek meteen alsof we weer op het horrorfeest waren, want iedereen zag zo bleek als een vampier.

'De koelkast.' Wesley trok hem open en toonde een lading bier- en colablikjes.

Verder was er een lange hoekbank met joekels van gaten in het leer waar gele plukken uitpiepten, een tafel die je in en uit kon klappen en een miniaanrechtblad met daaronder een kastje vol chips. Op het blad stond een kleine stereotoren. De boxen hingen boven de ranzige bank.

'Wojo,' zei Milan.

Lars knikte. 'Cool.'

Jemig, ze waren nog blinder dan mollen!

'Hallo!' riep Teddie, die nog in haar rolstoel voor de deur stond.

Wesley en Lars gingen haar meteen halen en plantten haar op de bank.

Ze kneep haar neus dicht. 'Jullie hadden hem beter de scheetkeet kunnen noemen.'

De jongens keken haar suffig aan. Blijkbaar konden ze ook al niet ruiken.

'Is er ook een wc?' vroeg Jessica.

Ze bedoelde een spiegel. Op school ging ze elke pauze naar de wc om haar lippen te stiften en haar mascara te controleren.

Wesley wees door het achterraampje naar een paar struiken.

'Zou je wel willen,' zei Teddie. 'Stiekem naar alle meiden-billen gluren.'

'Mijn moeder gaat nog gordijntjes naaien.'

'Gordijntjes kun je optillen.'

'Vooruit dan.' Wesley zuchtte overdreven. 'Ik vraag wel aan mijn ouders of jullie binnen mogen plassen.'

'Ik wou dat het al vrijdag was.' Milan wreef in zijn handen. 'Dat wordt keten, man.'

Op straat namen we afscheid van de jongens.

Zodra ze buiten gehoorsafstand waren, mopperde Jessica: 'Keetkeet. Tsss, er is geen reet aan.'

Dit keer moest ik haar gelijk geven. 'Onze schuur is nog ge-zelliger.'

'Het is dat Jamel komt.' Ze tuitte haar lippen. 'Zoenen doe je gelukkig met je ogen dicht.'

'Ach ja,' zei Ineke. 'Als er straks gordijntjes hangen…'

Melissa knikte. 'Dat maakt het vast wel knusser.'

Teddie slaakte ineens een Tarzankreet. 'Ik weet wat! We gaan de caravan pimpen!'

Het was één seconde stil. Toen begonnen Melissa en ik te juichen. Ineke deed zelfs een schudden-met-je-dikke-billen-dansje op de stoep.

'Best een strak plan,' gaf Jessica toe.

We gingen meteen brainstormen over wat we nodig had-den.

'Luchtverfrisser!' riep ik.

'Een mooie doek over die lelijke bank,' zei Melissa. 'En een paar kussens.'

'Of geinige knuffels.' Ineke wipte van haar ene op haar an-dere been. 'Ik heb een schattig olifantje in de etalage van dat nieuwe cadeauzaakje gezien.'

'Doe niet zo kinderachtig.' Jessica snoof. 'Of wil je soms dat Jamel en zijn vrienden ons uitlachen?'

Keetsecreet!

'Nou en?' mompelde Teddie.

Inekes wangen veranderden in gloeiende kacheltjes. 'Kerstlichtjes dan?'

'Ja, veel romantischer dan die tl-buis,' zei ik.

'En ik heb thuis nog een enorme valentijnskaart met harten en glitters.' Melissa gaf met haar handen de grootte aan. 'Die geven we er dan bij. Van de meiden voor de jongens.'

'De keetkeet.' Mijn moeder keek alsof ze net een broodje bedorven salami had gegeten.

'Nou ja, eigenlijk is het dus gewoon een caravan,' zei ik vlug. 'En hij staat in de tuin, dus Wesleys ouders kunnen alles in de gaten houden.'

Ik vertelde er maar niet bij dat hij volkomen uit het zicht stond.

'En die zijn thuis?' vroeg ze.

Ik knikte zo hard dat mijn hoofd er bijna af viel. 'Hè, toe nou, mam. Bijna de hele klas gaat.' Ik telde op mijn vingers. 'Teddie en Lars en Milan en Ineke en Melissa.'

Ze fronste haar voorhoofd. 'Teddies ouders vinden het ook goed?'

Ook! Ik knikte weer alsof mijn leven ervan afhing.

'Vooruit dan.' Mijn moeder stond op. 'Voor deze ene keer.'

'Ik moet natuurlijk wel een cadeautje voor Wesley kopen,' zei ik.

'Jaja.' Ze haalde haar portemonnee uit de la.

Vijf minuten later sms'te ik naar Teddie: *morgen shoppen!*
kmocht toen kzei dat jij ook mocht, sms'te ze terug.

En toen was het vrijdagavond. Met onze tassen vol aankopen liepen we (behalve Teddie, die reed natuurlijk) naar Wesleys huis. Heel langzaam, vanwege Jessica's stelten van hakken.

Ik baalde sowieso dat ze met ons meeliep, want ze draaide telkens hetzelfde liedje af. Over Jamel, die oooooh zo fantastisch was. Ze was net een cd die bleef hangen.

'Volgens mij gaat het zo regenen,' onderbrak Teddie haar met een blik op de donkere lucht.

'Gelukkig heb ik waterproof mascara.' Maar Jessica pakte toch de handvatten van de Tedmobile vast, zodat we ietsje harder opschoten.

Ik voelde telkens aan mijn haar. Ineke had het met duizend glitterspeldjes opgestoken en daardoor zat het nogal onwennig. We zagen er trouwens allemaal uit alsof we naar de disco gingen. Teddie had zelfs de valse wimpers van haar moeder geleend!

Bij de poort naar Wesleys achtertuin haalde Jessica diep adem. 'Vanavond ga ik met Jamel zoenen,' zei ze. 'Let maar eens op.'

Arme Jamel, dacht ik.

Melissa rolde met haar knalpaarse ogen. 'Het is een keet-keet, geen datekeet.'

De jongens waren er al. Er stonden twee brommers naast de caravan en achter de nieuwe gordijntjes brandde licht.

Teddie bonkte op de deur.

'Wauw, jullie zijn net filmsterren!' riep Wesley, die opendeed.

Dat kon je van de jongens niet zeggen. Het leek alsof ze expres hun oudste kleren hadden aangetrokken. Jamel droeg zelfs een overall met vlekken. Hij had zijn schoenen uitgetrapt en zijn voeten met stinkende sokken op de tafel gelegd.

'De zweetkeet,' fluisterde Teddie in mijn oor. Ze zat in haar Tedmobile tussen het tafeltje en het aanrecht geklemd. Lars en Wesley hadden haar en de rolstoel één voor één naar binnen gedragen.

Milan deelde drankjes uit. Bier voor Jamel en zijn vrienden en cola voor ons.

'Op de keetkeet!' riep Wesley.

We namen allemaal een slokje.

Toen zei Melissa tegen de jongens: 'We hebben een verrassing. Maar dan moeten jullie wel even naar buiten.'

Zodra de jongens morrend waren verdwenen, drapeerden we een oranje doek met gele zonnebloemen over de bank. De kanariegele kussens met oranje stippen mochten bovenop. Melissa zette de kaart op het tafeltje, met een vaas plastic zonnebloemen ernaast. Ineke hing de kerstverlichting boven het aanrecht en ik stak theelichtjes en geurkaarsjes aan.

In de verte klonk gerommel.

'Onweer,' zei ik.

'Dan mogen jullie wel opschieten. Als het gaat plenzen, kunnen we ze moeilijk buiten laten staan.' Teddie tilde een gordijntje op en gluurde naar de jongens. 'Ze staan met zijn allen de brommers te bekijken.'

'Dan denken ze dat ze man zijn, zeker.' Melissa giechelde.

'Klaar.' Ik knipte de tl-buis uit.

'Aaaaaah,' deden we allemaal, want de keetkeet veranderde meteen in een oosters paleisje.

Ineke zwaaide de deur open. 'Oké, jullie mogen binnenkomen!'

Milan moest lachen. 'Het is net het barbiehuis van mijn zusje.'

'Juist superromantisch,' vond Lars.

'En lekker donker!' Wesley ging op het uiterste puntje van de tafel zitten. Nog net niet bij Teddie op schoot.

Of Jamel en zijn vrienden hielden niet van zonnebloemen, of ze waren kippig. In ieder geval kletsten ze gewoon door over opgevoerde brommers en sportuitlaten.

'Jamèèèèèèl,' probeerde Jessica.

Pas toen ze met de valentijnskaart voor zijn gezicht wapperde, keek hij op.

'Dit is jullie cadeautje.' Ze maakte een weids gebaar. 'De keetkeet make-over. Van ons voor jullie.'

Jamel nam de kaart aan. 'O, be...'

De rest kon ik niet meer verstaan, want er brak plotseling een hoosbui los. De regen kletterde zo hard op de caravan dat het leek alsof er iemand op het dak zat te drummen.

Jamel schoof het gordijntje opzij en keek bezorgd naar zijn brommer. Volgens mij had hij hem het liefst ín de caravan gezet. Ik kon Jessica bijna hóren roepen: Hallo! Kijk liever naar mij! (Jaloers op een stuk schroot met wielen. Hoe wanhopig kun je zijn?) Maar Jamel negeerde haar volkomen.

'Het is maar een brommer, hoor!' flapte ze er toen uit.

Foute opmerking.

Hij draaide zich verontwaardigd om. 'Je hebt het wel even over een Yamaha DT R!'

'Het is ook een prachtig ding,' zei ze snel.

'Beter die Yamaha nat dan wij,' mompelde Lars zachtjes.

Nou ja, ik dácht dat hij dat mompelde. Door de herrie kon ik hem amper verstaan, dus moest ik liplezen (wat ook al niet meeviel bij kaarslicht).

Het gordijntje achter Teddies hoofd lichtte op. Een bliksemschicht. Drie tellen later klonk er een enorme knal. Ik kromp in elkaar.

'Hier kan ons niks gebeuren,' zei Wesley hees. 'We zitten hoog en droog.'

Zwijgend luisterden we naar het geroffel.

'Iek!' riep Melissa ineens en ze voelde aan haar voorhoofd.

Op het aanrecht ging een theelichtje uit.

Teddie tuurde omhoog. 'Er drupt iets.'

Op mijn rokje verschenen natte puntjes en Lars kreeg een druppel in zijn oog.

'Iedereen naar het lek zoeken!' Wesley knipte de tl-buis aan.
'Dan kunnen we er een teiltje onder zetten.'
We keken allemaal naar het plafond.
'Hoezo zoeken?' zei Ineke.
Ja, we hadden wel honderd teiltjes nodig. Het dak van de caravan was één grote gatenkaas.
'Mijn haar!' schreeuwde Jessica.
Milan lachte. 'Heeft er iemand een paraplu?'
Het lekte harder en harder.
'Moet het licht niet uit?' vroeg ik zenuwachtig. 'Straks krijgen we nog kortsluiting.'
Lars keek me bewonderend aan.
Wesley doofde de tl-buis. Boven de tafel kwamen complete waterstralen uit het plafond. Ze spoten een paar kaarsjes uit. Achteraf waren die gordijntjes toch niet zo'n goed idee. Nog even en we zaten in het donker.
'We kunnen beter gaan schuilen!' riep Ineke.
Wesley knikte en gooide de deur open. Milan rende naar buiten met zijn spijkerjack als een afdak boven zijn hoofd. Melissa holde achter hem aan, Jessica volgde en ook Jamel en zijn vrienden vluchtten de keetkeet uit.
'Vergeet Teddie niet!' riep ik.
Lars en Wesley namen haar tussen zich in en ik bracht de rolstoel naar buiten. Nog voor we bij de achterdeur waren, haalden we Jessica in.
'Volgende keer kun je beter sportschoenen aantrekken,' zei Teddie. 'Met die hakken ben je nog gehandicapter dan ik.'

We zaten druipend in de woonkamer. Wesleys moeder gaf iedereen een warme kop thee.
Zijn vader ging rond met handdoeken. 'Zo lek als een mandje, dus?'
Jamel plukte aan zijn overall. 'We hebben hem echt goed

nagekeken. Of de bodem niet was doorgeroest en of de ramen open konden.'

'Had het plafond maar geïnspecteerd.' Teddie wreef haar gezicht droog.

'Wimper,' fluisterde ik.

Eentje was er los gefloept en lag als een rupsje op haar wang. Ze had nu één bijna kaal en één harig oog, wat er behoorlijk raar uitzag.

'Ik weet zeker dat Jamel heel erg zijn best heeft gedaan.' Jessica keek hem slijmerig aan.

Hij merkte het niet eens. Ze zou minstens een uitlaat en wielen moeten krijgen, wilde hij ooit met haar gaan zoenen.

En toen werd het eindelijk droog en konden we de schade gaan opnemen. Wesley scheen rond met een zaklamp.

'Shiiiiit,' zei Jamel.

Dat was nog zacht uitgedrukt. Op de vloer van de caravan stond een laagje water. Eén van de kussens was van het kleed gegleden en lag nu als een eilandje in de zee. De bank was tot waterbed getransformeerd; als je hem indrukte, was het alsof je een spons uitkneep. De kerstlichtjes drupten nog na en alle kaarsjes waren uit.

'Al onze mooie spulletjes verpest.' Ineke raapte het kussen op en zuchtte.

'En wat dacht je van mijn schoenen?' mopperde Jessica. 'Ze zitten helemaal onder de modder.'

'Lekker belangrijk.' Melissa gaf haar een stomp. 'Voor Jamel en Wesley is het veel erger.'

'Dat kun je wel stellen,' zei Wesley sip. 'Nu hebben we geen bierkeet meer.'

'Maar wel een waterkeet.' Teddie begon zachtjes te lachen. 'Weet je wat? De volgende keer komen we in badpak.'

'Echt?' En toen straalde Wesley toch weer als een jarig jongetje.

Ola!

'Schotland,' mopperde ik tegen Teddie. 'Hoe komen ze erbij?'

Daar moest ik in de vakantie dus met mijn ouders naartoe. Ze wilden met volle bepakking door de groene heuvels gaan trekken. Ik werd al moe bij het idee.

Teddie knikte meelevend. 'Wie gaat er nou voor zijn lol met een loeizware rugzak wandelen? Je bent toch geen kameel?'

'Er zijn niet eens kamelen in Schotland.' Ik zuchtte. 'Alleen maar schapen. En het regent er altijd. Staan we in een of ander stom tentje op een moddercamping.'

'Beter dan een lekkende caravan.'

'Haha.'

Ze reed haar Tedmobile dichterbij en aaide mijn rug. 'En misschien is er wel een leuke disco.'

Ik hmpfte. 'Daar draaien ze natuurlijk van die suffe doedelzakmuziek.'

'Of ze laten een bandje komen.' Teddies ogen begonnen ineens te glinsteren. 'Van die stoere Schotse jongens in geruite rokjes.'

'Wat je maar stoer noemt.' Ik deed alsof ik moest overgeven.

'Hartstikke stoer.' Ze grijnsde. 'Het schijnt dat ze geen onderbroek onder hun kilt dragen. Koud!'

Ik lachte zuur. 'Jij hebt gemakkelijk praten. Jullie gaan lekker naar Spanje.' Ik zag het al helemaal voor me: ik bleef zo wit als een melkfles en Teddie kwam pindakaasbruin terug. Teddie zoog op haar lip. 'Ik weet het!' riep ze. 'We gaan gewoon net zolang zeuren tot je met ons mee mag.'

De ouders van Teddie vonden het geen probleem, maar die van mij waren niet zo gemakkelijk over te halen.
'Vakantie vier je sámen,' zei mijn moeder beslist. 'Met het hele gezin.'
'We zijn het hele jaar al samen,' mopperde ik.
'En het is heel goed voor haar Spaans,' hielp Teddie.
Mijn moeder keek me spottend aan. 'Sinds wanneer wil jij Spaans gaan studeren?'
Ik schakelde vlug over op een andere tactiek. 'Als ik mee mag, ruim ik zes weken de vaatwasser in.'
'Ik weet niet, hoor.' Mijn vader schudde zijn hoofd. 'Teddies ouders…'
'Mijn ouders zijn dolgelukkig als Maud meegaat!' riep Teddie. 'Hoeven ze tenminste niet de hele dag rekening met mij te houden.' Ze klopte op haar Tedmobile.
Yes! Mijn ouders keken elkaar aarzelend aan.
'Kan ik Teddie mooi de berg op duwen.' Ik ging op mijn knieën voor de bank zitten. *'Plies, plies?'*
'En het is een bungalow voor vier personen,' zei Teddie. 'Dus we hebben toch een bed over.'
Mijn vader knikte naar mijn moeder.
'Oké dan.' Ze stak haar handen omhoog. 'Ik geef me over.'
Ik vloog mijn ouders om de hals.
Teddie begon keihard te zingen: 'Olé, olé, olé, olé!'

Vanaf het vliegveld was het nog een uurtje rijden naar het bungalowpark. Spanje was echt gaaf! De witte huisjes lagen aan de voet van een berg en overal groeiden cactussen. Gewoon in het wild! Onze bungalow was rolstoelvriendelijk en

46

lag aan een geasfalteerd pad. Teddie en ik gingen meteen onze kamer inspecteren. Er zaten grote deuren in die uit-kwamen op een terras.

Teddie sjeesde naar buiten. 'Wauw, Maud. Moet je dat uit-zicht zien!'

Ik dacht eerst dat ze het prachtige landschap bedoelde, tot ze naar het pad wees. Daar liep een jongen in een gebleekte spijkerbroek. Hij had zijn shirt uitgetrokken en om zijn middel geknoopt. Hij was poepiebruin en had pikzwarte krullen.

'Ik wist wel dat Spaanse jongens knap zijn,' fluisterde Ted-die. 'Maar zooo knap...'

Ik keek naar haar vader, die de koffers naar binnen sjouwde. 'Moet ik niet even helpen?'

'Gaan jullie liever even naar de kampwinkel,' klonk de stem van Teddies moeder achter ons. 'Ik heb een lijstje gemaakt voor de lunch.'

Het boodschappenmandje stond op Teddies schoot. Het winkelmeisje legde er een brood in. *'Gracias,'* zei Teddie.

Ik stuurde de Tedmobile naar de groente- en fruitafdeling. 'Ik wist niet dat je Spaans kende.'

'Vier woorden,' zei Teddie trots en ze telde op haar vingers. 'Gracias en *si* en *no* en *ola*.'

Ik deed wat tomaten in een zakje en woog ze af. Gelukkig stonden er plaatjes op de weegschaal.

Teddie trok ineens aan mijn mouw. 'Daar is die leuke Spaan-se jongen weer.'

Hij stond met een pak melk bij de kassa.

'Kom op,' zei ze zacht. 'We gaan achter hem in de rij staan.'

Ik keek op het lijstje. 'Maar we zijn nog lang niet klaar.'

Teddie haalde haar schouders op. 'Gaan we zo nog wel een keer.'

Ik duwde haar kreunend naar de kassa's.

'Ola!' riep Teddie.

Ik gokte dat het 'hallo' betekende.

De jongen draaide zich om. 'Ola.' Hij knikte ons vriendelijk toe en keek toen weer naar de caissière. Ze gaf hem zijn wisselgeld.

'Gracias.' Hij liep naar de uitgang.

'Opschieten!' Teddie verhuisde de broden en tomaten in sneltempo naar de lopende band. 'Vlug afrekenen en dan erachteraan.'

Jemig, ze had echt te veel actiefilms gezien!

De caissière stopte de boodschappen in een plastic tas. '*Seis sesenta.*'

Teddie keek me wanhopig aan.

Ik tuurde naar de cijfertjes op de kassa. 'Zes euro zestig.'

Teddie betaalde en sleurde de tas mee. 'Vooruit, Maud. Gas!'

De automatische deuren gingen open. We knipperden met onze ogen tegen de felle zon.

Teddie keek om zich heen. 'Hij is al weg.' Ze sloeg verslagen op de plastic tas.

'De tomaten!' riep ik.

'Oeps.' Teddie gluurde in de zak. 'Nog net geen tomatenpuree.'

We deden de rest van de boodschappen en speurden daarna het hele parkterrein af.

'Hoe zou hij heten?' zei Teddie. 'Misschien wel Pedro. Of nee: Carlos! Dat klinkt lekker stoer.'

Voorlopig was Carlos van de aardbodem verdwenen. We keken in het zwembad en bij de receptie en liepen alle paden langs de huisjes af.

'Wist je dat Spaanse jongens heel romantisch zijn?' zei Teddie. 'Daar kunnen Nederlandse jongens nog een puntje aan zuigen.'

Ahum, deed ik.

'Nou ja, Lars is natuurlijk wel romantisch,' gaf ze toe.
Er ging een steekje door mijn borst. Lars zat nu ergens op
een camping in Zeeland.
We kwamen bij een discotheek.
'Ik ga vragen of Carlos vanavond mee uitgaat!' riep Teddie
enthousiast.
'Moet je hem wel eerst zien te vinden,' zei ik. 'En dan nog:
hoe ga je hem dat duidelijk maken met je vier woorden
Spaans?'
Ze dacht even na. 'Mime?'
Ik schoot in de lach. Op school hadden we wel eens een
workshop van een mimespeler gehad. Teddie moest een ge-
bakken ei uitbeelden, maar het leek meer op de dans van de
stervende zwaan.
'Oké, oké.' Ze was even stil. 'Mijn ouders hebben een taal-
gidsje!'

Teddie had de zin opgezocht: *Salimos esta noche?* (Zullen we
vanavond uitgaan?)
Ze oefende de hele dag. Tijdens de lunch. Aan zee. En zelfs
terwijl we aan het shoppen waren.
'Als je nu niet ophoudt, plak ik een pleister op je mond,'
waarschuwde ik.
'Ik zou maar een beetje aardig tegen me doen,' zei Teddie.
'Stel je voor dat ik verkering met Carlos krijg en hij nodigt
ons uit om te komen logeren.' Ze zuchtte verheerlijkt. 'Ik
zie ons al zitten: in de kerstvakantie onder de Spaanse
zon.'
Ik ging meteen mee-oefenen: 'Salimos esta noche?'
'Si,' zei Teddie.

's Avonds liep Carlos weer over het pad langs ons terras.
'Ola!' Teddie brulde zo ongeveer haar longen uit haar lijf.
'Ola.' Hij bleef met een vragende blik staan.

Teddie haalde diep adem. 'Salimos esta noche?'

Haar Spaans was blijkbaar nog niet perfect. Carlos keek haar geschrokken aan. Toen bloosde hij, zei nog een keer 'ola' en – Roef! – weg was hij weer.

Teddie staarde hem teleurgesteld na. 'Hij vindt me vast niet leuk.'

'Misschien is hij gewoon verlegen,' zei ik.

'Heb ik weer,' mopperde Teddie.

'Nou ja,' suste ik. 'Gaan we straks gewoon samen naar de disco.'

We deden hoepels van ringen in onze oren en staken elk een rode roos in ons haar.

'Jullie zien eruit als Spaanse schonen,' zei Teddies vader bewonderend.

'Gracias!' riepen Teddie en ik in stereo.

Toen vertrokken we naar de discotheek. Aan het plafond boven de bar hingen snoeren met lampjes. We bestelden twee glazen cola – wat de barkeeper gelukkig meteen begreep – en zochten een plekje naast de dansvloer. Uit de boxen schalden de stemmen van The Pussycat Dolls.

'Dansen?' vroeg Teddie.

Ik rolde haar de lichtgevende vloer op en we begonnen te swingen. Ik duwde de Tedmobile alle kanten op en…

'Daar is Carlos weer!' schreeuwde ik tegen Teddie.

Ze kronkelde met haar armen. 'Nou en?'

Stoerdoenerij. Ik zag haar heus wel gluren.

Het nummer was afgelopen. Ik reed Teddie naar de kant.

Het leek wel alsof Carlos erop had staan wachten, want hij kwam meteen naar ons toe. Met een boekje in zijn hand.

'Wie neemt er nou een boek mee naar de disco?' mompelde Teddie.

'Spaanse jongens zijn toch zo romantisch?' Ik grinnikte. 'Hij gaat je vast een liefdesgedicht voorlezen.'

'Ola.' Carlos kwam voor ons staan, keek in het boekje en zei iets ingewikkelds in het Spaans.

Teddie keek hem niet-begrijpend aan.

Hij sloeg met een zucht het boek dicht. Toen zag ik de titel op de voorkant pas: *Spaans op reis*!

Hij heette geen Carlos maar Timo en hij woonde in Groningen.

'Hij is leuk, hè?' zei Teddie, toen hij naar de bar liep om drankjes te gaan halen.

'Dat wel, maar...' Ik dacht aan géén Spaanse zon en liters Hollandse regen. 'Als hij maar niet vraagt of we in de kerstvakantie komen logeren!'

Een handige jongen

'Deze?' vroeg ik, terwijl ik een gele bikini omhooghield.
Teddie tikte tegen haar voorhoofd. 'Dan ben ik net een kanarie.'
Ik viste een paarse met bloemetjes uit de bak. 'Deze dan. Die is echt leuk!'
'Dat wel, maar...' Teddie keek even naar haar rolstoel. '...hij vloekt bij mijn Tedmobile.'
Kreun! Ik had al minstens honderd badpakken en bikini's aangewezen. Maar Teddie vond alles te groot of te rood of het had verkeerde bandjes of een onhandige sluiting.
Ik keek op mijn horloge. 'Nog vijf minuten,' zei ik. 'Anders zijn we niet op tijd in het zwembad.' We hadden om elf uur afgesproken met een groepje uit onze klas.
'Jaja.' Teddie snuffelde alweer in de bakken. 'Tadááá!' riep ze plotseling, zo hard dat iedereen in de winkel haar aangaapte.
Ik schaamde me kapot! Teddie niet, die mafkees hield een bikini omhoog, zodat iedereen hem goed kon zien. Het was een blauwe, met een print van zwarte vleermuisjes.
Een oude man met heel veel lachrimpeltjes knipoogde vet naar Teddie. 'Mooi hoor.'
'Natuurlijk,' zei Teddie. 'Het is een Batwomanbikini!'

Teddie had afgerekend. We waren op weg naar de uitgang.

'Hooooi!' klonk het vanaf de make-upafdeling.

Jessica.

'Wegwezen,' fluisterde Teddie.

Goed plan! Ik had geen zin in misselijke opmerkingen.

Maar Jessica kwam al op haar wiebelhakken op ons af. 'Hoe was de vakantie?' vroeg ze met een tandpastaglimlach.

Ik verwachtte dat er zoals altijd een hatelijke zin achteraan zou komen, maar die kwam niet. 'Gaaf,' zei ik toen maar. 'We zijn in Spanje geweest.'

'Dat kun je wel zien, jullie zijn superbruin.' Jessica aaide over haar topje. Zelf was ze nog zo wit als een ijsbeer. 'Wij zijn net terug uit Engeland. Rotweer, maar wel leuke boys.'

Teddie en ik keken elkaar verbaasd aan. Jessica had nog nooit zo lang aardig gedaan. Ze leek wel gehersenspoeld.

Jessica draaide zich om en begon ineens te zwaaien. 'Oehoe, schatje!'

Een bloedmooie jongen in een poloshirt zonder mouwen slenterde op ons af. Jessica pakte zijn hand vast en zei trots: 'Dit is Justin, mijn vriend.'

Teddie en ik stelden ons ook voor.

'Justin is fotomodel,' vervolgde Jessica op een opscheperig toontje. 'Morgen heeft hij een fotoshoot voor Yes, je weet wel, dat spijkerbroekenmerk. Hij verdient er tonnen geld mee.'

Dus toch niet gehersenspoeld. Ze wilde alleen maar scoren. Ik haalde mijn schouders op en zei op net zo'n opscheperig toontje: 'Teddie heeft ook verkering. Met Timo. Ze heeft hem in Spanje ontmoet.'

Maar als het niet over háár ging, was Jessica acuut doof. Ze ratelde gewoon verder: 'Gisteren zijn we uit eten geweest in een heel chic restaurant.' Ze giechelde alsof ze een mop ging vertellen. 'Maud is al blij als haar vriendje Lars haar mee naar de snackbar neemt,' zei ze tegen Justin, met een knikje naar mij.

Justin was al goed afgericht. Hij lachte meteen met haar mee. Ik had veel zin om ze allebei een duw te geven, zodat ze in het schap met mascara zouden belanden. En Teddie zo te zien ook, want die balde haar vuisten.

Jessica had niets in de gaten. Ze hield een plastic tasje omhoog. 'En ik heb net heel dure parfum van hem gekregen, hè, Justin?'

Hij knikte braaf.

'Vond hij dat je stonk?' vroeg Teddie liefjes.

Jessica keek haar vernietigend aan. 'Je bent gewoon jaloers.' Toen trok ze Justin aan zijn arm. 'Kom schatje, we gaan.'

Het schatje volgde haar als een hondje.

'Rijk, maar geen pit,' zei Teddie.

'Leuk,' zei Melissa, zodra ze Teddies nieuwe bikini zag.

Ineke kon alleen maar knikken, haar mond zat vol drop.

Wesley vond hem ook prachtig. Hij zat in ieder geval telkens naar Teddie te gluren. Naar alle meiden in bikini trouwens.

Lars keek gelukkig alleen naar mij en vroeg: 'Zwemmen?'

'Ik ga ook mee.' Milan stond op en gaf Teddie een por. 'Wedstrijdje?'

'Mij best,' zei ze stoer. 'Met mijn Batwomanbikini maak ik je helemaal in.'

We volgden Teddie naar het ondiepe gedeelte. Daar tilden de jongens haar uit haar Tedmobile en droegen haar naar het bad. Zodra ze op de rand zat, fungeerde ik als haar ruggensteuntje. Lars en Milan gingen in het zwembad staan en takelden haar van de kant het water in. Ze zwom meteen weg. Vanwege het eeuwige getrek aan de Tedmobilewielen heeft ze heel sterke armspieren.

'Valse start!' schreeuwde Milan, terwijl hij de achtervolging inzette.

'Kom je nog?' riep Lars tegen mij en hij spetterde me nat.
Ik sprong erin en sopte hem tot hij om genade smeekte.

Een halfuurtje later zaten we weer op het grasveld. Ineke
was naar het zwembadwinkeltje geweest en deelde Marsjes
uit.
'Daar heb je Jessica,' zei ze met volle mond. 'Met een jon-
gen.'
'Niet weer, hè?' Teddie zuchtte.
Ik zuchtte ook. 'Vanmorgen stond ze ook al vreselijk over
hem op te scheppen.'
'Niks gek,' zei Melissa. 'Het is ook best een lekker ding.'
Wesley verslikte zich bijna in zijn mars. 'Die melkfles?'
Ineke grinnikte. 'Maar wel een mooie melkfles.'
'Hoooi.' Jessica kwam heupwiegend in haar roze bikini op
ons af.
Zo te ruiken had ze haar nieuwe parfum al op. Ik viel bijna
flauw van de walm.
'Hoi.' Melissa keek Justin nieuwsgierig aan. 'En wie ben
jij?'
'Justin,' antwoordde Jessica.
'Kan hij zelf niet praten?' vroeg Teddie.
'Tuurlijk wel.' Jessica hield Justin de hele tijd stevig vast,
alsof ze bang was dat hij anders weg zou lopen. 'We hebben
elkaar tijdens de vakantie ontmoet. Het was liefde op het
eerste gezicht.'
Ja, op het tweede gezicht kon ik me bij Jessica niet voorstellen. Tenzij je van giftige slangen hield.
'Hij is fotomodel en moet morgen poseren voor Yes.' Ze her-
haalde het hele riedeltje van vanmorgen met een stem die
droop van verwaandheid.
'Die broeken van Yes zijn supergaaf.' Ineke voelde aan haar
dikke billen. 'Jammer genoeg hebben ze geen grote maten.'
Jessica keek veelbetekenend naar de lege snoepwikkels.

'Ook eentje?' Ineke hield haar en Justin een Mars voor.

'Nee, dank je,' antwoordde Jessica uit de hoogte. 'Ik wil niet op een walvis gaan lijken.'

Ineke werd rood.

'Wat bedoel je daar nou weer mee?' Teddie keek Jessica dreigend aan.

'Gewoon.' Jessica haalde haar schouders op. 'Ieder pondje gaat door het mondje.'

'Recht naar mijn kontje,' zei Ineke sip.

Justin schoot in de lach, tot Jessica hem in zijn zij porde.

'Je kunt beter gaan zonnen,' commandeerde ze. 'Anders sta je morgen veel te bleek op de foto's.' Ze trok hem mee naar een plekje verderop en rolde een enorm badlaken uit.

'Woef,' zei Teddie.

We kletsten en zwommen tot onze vingertoppen helemaal gerimpeld waren. Wesley trakteerde op ijsjes en we deden melige spelletjes. Jessica en Justin lagen de hele dag alleen maar in de zon. De enige keer dat ik ze zag bewegen, was toen ze van hun rug op hun buik draaiden.

'Heel gezellig, maar niet heus,' vond Ineke.

En toen was het ineens vijf uur.

'We moeten naar huis,' zei ik tegen Teddie.

Jessica en Justin stonden ook net op om zich aan te gaan kleden.

'Moet je zijn rug zien,' fluisterde Teddie.

We konden onze lach niet meer inhouden.

Jessica draaide zich nijdig om. 'Is er iets?'

'Ehm, die foto's...' zei ik. 'Poseert Justin gewoon met zijn shirt aan?'

'Alleen in een spijkerbroek met een ontbloot bovenlijf.' Jessica's ogen flitsten zenuwachtig heen en weer. 'Hoezo?'

'Nou.' Teddie bleef er bijna in. 'Dan hoop ik maar dat ze bij Yes van tatoeages houden.'

Justin kon toch praten. 'Ik heb geen tatoeages,' zei hij verbaasd.

'Nu wel.' Lars wees naar Justins rug.

Zijn huid was mooi verkleurd, behalve daar waar Jessica hem de hele dag had vastgehouden. Haar hand had een witte afdruk achtergelaten.

'Nee!' riep Jessica. Ze werd bleek van schrik.

'Wat is er?' vroeg Justin. Hij probeerde op zijn rug te kijken, wat natuurlijk niet lukte.

Jessica veranderde als een toverbal van wit naar rood. 'S-sorry, maar misschien gaat die fotoshoot niet door,' stamelde ze tegen Justin.

En die tonnen met geld dus ook niet, dacht ik. Dat werd voortaan alleen nog maar patatjes in de snackbar, haha. Maar toen ik naar Jessica keek, kreeg ik toch wel medelijden en zei: 'Ze hebben vast wel goede schmink bij Yes.'

'Of ze fotograferen alleen de voorkant,' suste Melissa.

'Ik zou hem gewoon een cape aantrekken,' bedacht Teddie. 'Bij Superman staat dat ook heel cool.'

Justin stond nog steeds te kronkelen. 'Kan iemand me nou eindelijk vertellen wat er aan de hand is?'

'Met de nadruk op hánd,' zei Teddie zo serieus mogelijk.

Lezen

'We gaan een project doen,' zei Swarte van Nederlands. 'Rondom het thema lezen.'

Yes! dacht ik, want ik ben gek op boeken en lees het liefst op de wc en in bed.

Melissa kreunde. 'Kunnen we het niet over shoppen doen?' Volgens mij leest ze nooit. Hoogstens prijskaartjes.

'Lezen is belangrijk.' Swarte sloeg haar armen over elkaar. 'Het is goed voor je ontwikkeling en ook nog eens leuk.'

'Leuk?' Wesley hmpfte. 'Ik ga nog liever naar de tandarts.'

Teddie rilde. 'Het enige lollige aan onze tandarts is zijn leesmap.'

'Iedereen voert een opdracht uit,' vervolgde Swarte onverstoorbaar. 'Je mag zelf weten wat: een boekverslag, een boekbespreking, een leuke presentatie. Als het maar over lezen gaat.'

In de pauze zaten we op het muurtje van het schoolplein. Behalve Teddie natuurlijk.

'Lezen,' mopperde Wesley. 'Hoe komt ze erop?'

Teddie gaf hem een stomp. 'Geef het nou maar toe. Jij leest heus wel eens stiekem.'

Hij keek haar suffig aan, maar ik wist meteen wat Teddie bedoelde.

'Seksboekjes!' riep ik.

'Echt niet,' zei Wesley verontwaardigd. 'Ik kijk altijd alleen maar naar de plaatjes.'

We moesten allemaal lachen.

Snoepkont Ineke begon alvast aan haar lunch. 'Zou je het ook over een kookboek mogen doen?' vroeg ze met volle mond.

'Ik doe het over *Harry Potter.*' Milan keek even op van zijn computerspelletje. 'Ik heb alle films gezien, dus ik hoef niks meer te lezen.'

'Lezen is veel leuker dan films,' zei ik. 'Kun je tenminste zelf fantaseren hoe de hoofdpersoon eruitziet.'

Lars knikte. 'Ik ben in een heel gaaf boek bezig. Over de oorlog.'

'Jakkes, oorlog.' Jessica legde haar hand op haar hart. 'Ik lees liever liefdesromannetjes.'

'Saai.' Teddie stak haar tong uit. 'Actieboeken zijn veel spannender.'

Ze heeft thuis wel honderd strips van Spiderman en Batman en Superman.

Melissa drapeerde haar sjaal om haar haren. Haar grote oorringen kwamen er nog net onder uit.

'Je lijkt wel een waarzegster,' zei ik.

Ze kreeg een aha-blik. 'Bedankt, Maud!' riep ze blij. 'Ik heb ineens een superidee voor mijn presentatie.'

'Wat dan?' vroeg Teddie.

Melissa glimlachte geheimzinnig. 'Ik hoef er niet eens een boek voor te lezen.'

Ik lag op mijn buik op Teddies bed met het boek *De Strand-Tent 4* voor me op het kussen. De hoofdpersonen waren net verdwaald in het oerwoud. Kregen we altijd maar zulk huiswerk! Veel beter dan Engelse woordjes leren of wiskundeopgaven maken.

'Ga jij niet lezen?' vroeg ik aan Teddie.

Ze zat achter haar computer een mailtje te schrijven. Aan haar kersverse verkering natuurlijk.

'Straks,' mompelde ze. 'Timo heeft me vijf mailtjes gestuurd en die moet ik allemaal nog beantwoorden.'

'Wat schrijft hij?'

'Dat hij me mist.' Teddie zuchtte. 'En dat het daar regent.'

Hihi, mijn boek was stukken boeiender. Ik kroop weer in het verhaal.

Teddies vingers rammelden op de toetsen.

Aan het eind van de middag was mijn boek uit. Teddie zat nog steeds achter haar computer, alsof ze eraan vast was gegroeid.

'Weet je nou al wat je gaat doen?' vroeg ik. Voor het leesproject, bedoelde ik.

'Met Timo chatten.' Ze keek me stralend aan. 'Hij komt zo terug van voetbal.'

Een week later was het zover. Mijn verslag was klaar. Ik had er een miniboekje van gemaakt met plaatjes. 'Vier pagina's!' zei ik tegen Teddie. 'En jij?'

Ze klopte op haar tas. Waarschijnlijk had ze de hele nacht doorgewerkt, want ze had donkere kringen onder haar ogen.

Melissa kwam de klas binnen. Ze droeg een lange, gifgroene soepjurk en sleepte een enorme tas mee.

'Wat heb jij nou aan?' riep Teddie.

'Voor mijn act,' antwoordde Melissa hijgend.

Swarte wachtte tot iedereen zat. 'Wie hebben er allemaal een presentatie voorbereid?'

Er gingen vier vingers omhoog.

'Dan gaan we daarmee beginnen.' Swarte knikte naar Wesley.

Hij liep naar het bord met een boekje in zijn hand.

'Die gaat een les seksuele voorlichting geven,' fluisterde Teddie.

Wesley schraapte zijn keel. 'Loesje komt terug van de tandarts. Deed het pijn? vraagt haar moeder. Ik geloof het wel, zegt Loesje. Toen ik in zijn vingers beet, sprong hij wel een meter in de lucht.'

Iedereen grinnikte.

Behalve Swarte. 'Heel grappig, meneer De Brei. Maar wat heeft dit met het leesproject te maken?'

Wesley hield zijn boekje omhoog en zei trots: 'Honderd moppen en ik ken ze allemaal uit mijn hoofd.'

Een moppenboek! We gierden het uit.

'Een zesje,' zei Swarte met een zuinig gezicht. 'Voor de moeite.'

Daarna was Ineke aan de beurt. Ze behandelde een kookboek van Sonja Bakker en gaf allerlei tips om af te vallen. 'Maar mijn favoriete hoofdstuk is de schijt-aan-Sonja-dag,' besloot ze. 'Dan mag je alles eten.' Toen ging ze rond met Minimarsjes.

Ik plaste bijna in mijn broek van het lachen.

'Dit is het gaafste project dat we ooit hebben gehad!' hikte Teddie.

'Een zeven,' zei Swarte. 'Milan?'

Hij zette een brilletje op en speelde een scène na uit *Harry Potter.* Dat ging super, maar daarna ging Swarte allerlei moeilijke vragen stellen.

'Weet ik veel,' zei Milan. 'Het is al twee jaar geleden dat ik de film heb gezien.'

'Sukkel.' Teddie bleef er bijna in.

'Dus je hebt het boek niet gelezen?' vroeg Swarte.

'Maar wel alle ondertitels!' riep Milan.

'Een vier.' Swarte schreef het cijfer op de lijst. 'Melissa.'

Melissa maakte haar tas open. Met open mond keken we naar wat ze tevoorschijn toverde. Haar sjaal, die ze weer om haar hoofd wikkelde. Twintig armbanden die ze om haar polsen schoof. Een roodfluwelen kleed, een kopje, een stok, kaarten. En zelfs een lege vissenkom! Ze schoof een tafeltje voor het schoolbord en legde het kleed eroverheen. Toen stalde ze al haar spulletjes uit.

'Wat is die nou van plan?' fluisterde Teddie.

Ik had geen idee.

Melissa zette aan weerszijden van de tafel een stoel klaar. 'Ik heb een vrijwilliger nodig.' Ze liet haar ogen door de klas dwalen. 'Maud?'

Nee, hè! Had ik expres een verslag geschreven en nu moest ik nog... Met een vuurrood hoofd liep ik naar voren en ging op een stoel zitten.

Melissa plofte op de andere stoel. 'Geef me je hand,' zei ze met een rare bromstem.

Ik legde mijn hand in die van haar. Ze bekeek mijn handpalm en bromde nog steeds met die rare stem: 'Aha, je hartlijn begint dicht bij je wijsvinger. Dat betekent dat je gelukkig in de liefde bent.'

'Klopt!' riep Lars.

'Sssst!' Melissa gebaarde met haar arm. Haar armbanden rinkelden alsof er een glasbak werd leeggeschud. 'Zo haal je me uit mijn concentratie.' Ze keek weer naar mijn hand. 'Je levenslijn vertelt dat je erg gevoelig bent en je lotslijn...' Ze viel even uit haar rol en vergat haar bromstem. 'Je hebt geen lotslijn.'

Ik werd er zenuwachtig van. 'Is dat erg?'

Melissa schudde haar hoofd. 'Ik geloof dat dat wil zeggen dat je nogal onzeker bent.'

Ja, hèhè. Alsof ik dat zelf nog niet wist. Pfff, wat was ik blij toen Melissa al mijn lijnen had bekeken en ik eindelijk weer op mijn plaats kon gaan zitten.

'Heel bijzonder, Melissa,' zei Swarte. 'Maar wat heeft dit...'

'Sssst,' siste Melissa voor de tweede keer. Ze keek Swarte doordringend aan alsof ze haar wilde hypnotiseren. 'Ik weet wat u denkt: wat heeft dit met het project te maken?' Melissa's armen zwiepten – rinkelderinkel – woest door de lucht. 'Nog even en u zult het licht zien.' Ze zette de vissenkom ondersteboven voor zich. 'Ik zie, ik zie... Dat ik een tien voor mijn presentatie krijg.'

Teddie kreeg de slappe lach. Het werkte aanstekelijk.

'Stilte!' Swarte sloeg met haar vuist op haar bureau. 'Kun je me nu eerst even uitleggen wat dit te betekenen heeft?'

'Nou moe.' Melissa wees naar het kopje en de kaarten. 'Ik heb nog niet eens de theeblaadjes en de kaarten gelezen.'

Gelezen! Ineens snapte ik het. 'Melissa heeft mijn hand gelezen en uw gedachten gelezen en de toekomst gelezen en...' Oeps, iedereen gaapte me aan.

Swarte fronste haar wenkbrauwen. 'Maar over welk boek gaat het dan?'

'Boek?' Melissa deed een perfecte imitatie van Swarte en zei: 'Je mag zelf weten wat: een boekverslag, een boekbespreking, een leuke presentatie. Als het maar over lézen gaat.'

Swarte liet zich verslagen achterover in haar bureaustoel zakken. 'De rest heeft hopelijk gewoon een boek gelezen en een verslag gemaakt?'

Iedereen legde zijn verslag op het bureau. Sommigen hadden één velletje, anderen een klein boekje net zoals ik. Behalve Teddie...

'Honderd pagina's.' Ze keek Swarte tevreden aan. 'Ik heb niet alleen gelezen maar ook geschreven. Het is een soort moderne brievenroman.'

Huh? Had ze in één nacht...

Toen viel het kwartje pas. Teddie en Timo hadden de hele week gemaild en gechat.

'O, van die twee topschrijvers!' riep ik uit.

Swartes gezicht sprak boekdelen. 'Volgende maand gaan we weer zo'n project doen,' zei ze vinnig. 'Maar dan over serieuze jeugdliteratuur!'

Mister Cowboy

Pling! deed Teddies computer.

Ze liet meteen alles uit haar handen vallen en rolde haar Tedmobile naar haar bureau. 'Een berichtje van Timo!' Ze drukte haar neus bijna tegen het computerscherm.

'Dat wordt dan nummertje duizend-en-twee,' zei ik grinnikend.

'Hij schrijft dat hij me heel erg mist.' Teddie zuchtte dramatisch. 'Konden we maar een keertje afspreken.'

'Vraag of hij je komt opzoeken.' Ik had voor aardrijkskunde net het Nederlandse spoorwegennet bestudeerd. 'Met de trein.'

'Thee!' riep Teddies moeder.

Ik deed de deur voor haar open.

'Heet.' Ze liep haastig naar het bureau en zette de dampende bekers neer. 'Druk bezig met jullie huiswerk?'

Teddie klikte vlug haar mailbox weg.

'Helaas wel, ja.' Kreunend schoof ik mijn aardrijkskundeboek opzij. 'Ik zal blij zijn als het herfstvakantie is.'

Teddies moeder kwam naast me op het bed zitten. 'We zijn van plan om een dagje weg te gaan.'

Ik durfde te zweren dat ik Teddies oren zag groeien. 'Een dagje weg!' riep ze, terwijl ze snel achteruitreed.

'Als je wilt, mag je ook mee,' zei Teddies moeder tegen mij.

Teddie had haar Tedmobile gekeerd en keek haar moeder vol spanning aan. 'Waar naartoe?'

Ik hoopte de Efteling. Of Walibi.

'Een leuke stad,' antwoordde Teddies moeder. 'Amsterdam of zo.'

'Daar zijn we al honderd keer geweest.' Teddie wapperde met haar armen. 'Groningen, dat is pas gaaf.'

Dus daarom deed ze zo opgewonden!

'En heel ver weg,' aarzelde haar moeder.

Teddie somde meteen allerlei pluspunten op: gezellige terrasjes, een prachtige markt, het Groninger museum... Ze klonk als een foldertje van de vvv.

'Vergeet Timo niet,' zei ik.

'Oooo!' riep Teddies moeder.

'Ik heb hem al twee maanden niet gezien.' Teddie hield haar hoofd scheef. Ze leek precies op Floortje (de hond van onze buren) als die om een worstje smeekt. 'En terwijl Maud en ik bij Timo zijn, kunnen jij en papa samen Groningen verkennen.'

Een week later reden we met de auto over een asfaltweggetje tussen de weilanden. Het miezerde en de lucht was grijs.

Teddie wees naar een boerderij. 'Daar moet het zijn.'

Op het modderige erf stond een jongen te zwaaien. Hij droeg een blauwe overall en regenlaarzen.

'Is dat hem?' vroeg Teddie zenuwachtig. 'Hij ziet ineens zo bleek.'

Ineens! Ik moest lachen. 'Tja, dat krijg je met die Groningse regen.'

Teddies moeder parkeerde de auto.

Timo maakte het portier open. 'Hoi, goede reis gehad?'

'Ja hoor, alleen...' Teddie keek ongerust naar de enorme plassen. 'Heb je ook modderkettingen voor rolstoelwielen?'

'Ik draag je wel naar binnen,' zei Timo stoer.

Teddies vader haalde de Tedmobile uit de kofferbak. Timo's moeder stond al in de deuropening te wachten en liet hem binnen.

'Sla je armen maar om mijn hals.' Timo tilde Teddie voorzichtig op en verhuisde haar naar de boerderij. Hij droeg haar zelfs over de drempel alsof ze zojuist waren getrouwd!

'Blijven jullie echt niet even koffiedrinken?' vroeg Timo's vader.

Teddies moeder schudde haar hoofd. 'Heel vriendelijk, maar we hebben nog een druk programma. Om vijf uur halen we de meiden weer op.'

'Veel plezier.' De vader van Teddie rammelde met zijn autosleutels en toen waren ze weg.

'Ik heb vlaai gebakken,' zei Timo's moeder.

'Ik ben dol op vlaai!' Teddie knikte naar de keuken. 'Zal ik helpen, mevrouw?'

'Zeg maar Loes.' Ze stond op. 'Ik denk dat Timo het leuker vindt om zijn kamer te laten zien.'

'Is die beneden dan?' Teddie keek veelbetekenend naar haar rolstoel.

'Ik draag je wel naar boven,' zei Timo.

We waren in een koeienparadijs beland. De muren van Timo's kamer waren behangen met posters van roodbonte, witzwarte en tekenfilmkoeien. Zijn dekbedovertrek was wit met zwarte vlekken. Op een plank stonden bekers die hij gewonnen had met melkwedstrijden en koeienraces. Daarboven hing een prikbord, waarop een tijdschriftartikel met een foto van Timo prijkte. Hij droeg een westernhoed en leunde heel cool tegen een hek.

'Jemig, ik wist niet dat je beroemd was,' zei Teddie.

'Mijn moeder heeft het uit het *Boerenjongerenblad* geknipt.'

Hij lachte geitachtig. 'Ik was eerste met de Mister Cowboy Verkiezing.'

'Gaaf.' Teddie keek zijn kamer rond en knikte. 'Je kunt ook wel zien dat je een echte koeienjongen bent.'

'Ja.' Timo plofte op zijn bed. 'Goed dat jullie er zijn, man.'

'Ja,' zei Teddie.

Het bleef twee minuten stil. Twee héééééél lange minuten. Ik dacht aan de instructies, die ik thuis al van Teddie had gekregen: je laat ons af en toe wel alleen, hoor, zodat we kunnen zoenen. Dus knipoogde ik naar Teddie en zei: 'Ik ga even naar de wc.'

Maar toen ik terugkwam, zwegen ze nog steeds ongemakkelijk. Teddie wriemelde met haar vingers en Timo plukte aan zijn dekbedovertrek. Ik was opgelucht toen Loes riep dat de koffie klaar was.

De vlaai was heerlijk. Loes ging het recept halen en gaf handige baktips. Gaap. Ik gluurde stiekem op mijn horloge. Nog een uurtje of vijf te gaan.

'Het regent niet meer,' zei Timo's vader. 'De dames willen vast wel een rondleiding op de boerderij.'

Teddie hoefde niets meer te zeggen.

'Ik draag je wel,' zei Timo.

Dus slalomde ik met de lege Tedmobile om de plassen heen en bracht Timo Teddie naar de stal. Daar plantte hij haar weer in de rolstoel. De koeien stonden ieder in een eigen box en loeiden oorverdovend.

'Dit is Katrien 3!' riep Timo. 'En dat is Louise.' Hij wenkte dat we mee moesten komen. 'Achterin is een verrassing.'

Teddie keek me licht wanhopig aan. Toen reed ze door het smalle gangetje tussen de koeienkoppen door. 'Shiiiit!'

Inderdaad: shit. Ze was met haar wielen door een koeienvlaai gereden.

'Je bent toch zo gek op vlaai?' grapte Timo. Maar zodra hij

Teddies gezicht zag, bond hij in. 'Ik spuit hem straks wel schoon. Hou je armen binnenboord, dan duw ik je.'

Teddie legde haar handen op haar knieën. Nou ja: vuisten. Ik begon te vermoeden dat het boerenleven haar niet echt trok.

Bij de laatste koe bleef Timo staan. 'Dit is ze.'

'De verrassing?' vroeg Teddie.

Timo knikte trots. 'Teddie 2.' Hij glimlachte. 'Leuk, hè? Ze is naar jou vernoemd.'

'Ik voel me vereerd,' zei Teddie, met een blik van heel-romantisch-maar-niet-heus. Ze kneep haar neus dicht. 'Kunnen we nu mijn Tedmobile schoonmaken?'

Timo droeg haar naar binnen en verdween meteen weer naar buiten om met een hogedrukspuit de koeienvlaai te verwijderen.

Zijn ouders rommelden in de keuken. Teddie en ik zaten heel alleen in de woonkamer.

'Hij is heel anders dan op vakantie,' fluisterde ze. 'Toen was hij niet zo...'

'Koeiig,' zei ik.

Ze lachte als een boerin met kiespijn. 'Ik ben vast de enige naar wie een koe is vernoemd.'

'Schattig, toch?' vroeg ik. 'Weer eens wat anders dan een bloem.'

'Dat wel.' Ze zuchtte. 'Timo en ik zitten geloof ik niet helemaal op dezelfde golflengte.'

Ik fronste mijn wenkbrauwen. 'Maar al die honderdduizend mailtjes dan?'

'Die gaan altijd over twee dingen: "ik mis je" en "wat heb ik vandaag gedaan?",' zei Teddie sip. 'Geen gespreksonderwerpen als je op elkaars lip zit.'

'In Spanje zaten jullie ook op elkaars lip.' Ik tuitte mijn mond. 'Misschien hadden jullie gewoon weer moeten zoenen. Ik ging niet voor niks naar de wc.'

Teddie rilde. 'Ik moest er ineens niet meer aan denken.'

Ik deed alsof ik een hoed opzette. 'Hij is anders wel even Mister Cowboy.'

'Hij is ook heel aardig, alleen niet mijn type.' Ze zuchtte alweer. 'Ik ben niet meer verliefd.'

'Dan moet je het uitmaken,' zei ik.

We keken tv en Timo's vader liet ons foto's van fokstieren en prijskoeien zien. Toen was het eindelijk kwart voor vijf.

'Mijn ouders komen zo,' zei Teddie. 'Zullen we ze vast tegemoet lopen?'

Ik snapte meteen wat ze bedoelde en knikte. 'Even frisse lucht voordat we weer dat hele eind in de auto moeten zitten.'

Loes gaf ons een halve vlaai mee. We bedankten haar vriendelijk en gingen het erf op. De plassen waren inmiddels opgedroogd, dus Teddie kon zelf rijden. Zodra we bij de asfaltweg kwamen, liep ik stevig door. Een eindje verder bleef ik wachten en keek naar de Teddie en Timo-soap.

GTST duurde langer! Timo zei iets en Teddie zei iets en meteen daarna reed ze naar me toe.

'En?' vroeg ik.

'Ik hoefde het niet eens uit te maken,' antwoordde ze verontwaardigd. 'Dat deed hij al. Hij vindt me te stads.'

Er kwam een auto aanrijden. Teddies ouders. Haar vader tilde haar op de achterbank en legde de Tedmobile in de kofferbak.

'Hoe was het?' vroeg Teddies moeder.

'Boe,' mompelde Teddie.

Ik vermoedde dat we nooit meer naar *Boer zoekt vrouw* zouden kijken.

'Er zit een leuke Argentijn op de route naar huis.' Teddies vader stapte in. 'Ik heb zin in een overheerlijk koeienbiefstukje.'

'Alleen als ze ook salades hebben,' zei Teddie. 'Ik kan geen koe meer zien.'

Maffer dan ooit

'Ik moet Floortje zo uitlaten,' zei ik tegen Teddie.
De hond van onze buren is bijna een meter hoog en helemaal spierwit met maar één zwarte vlek. Die zit op haar
kop, om haar rechteroog, zodat ze net een piraat met een
ooglapje lijkt.
'Ik ga mee!' riep Teddie meteen. (Ze vindt honden veel leuker dan koeien.)

De buurvrouw had me de sleutel van de voordeur ge-
geven.
'Floortje is in de keuken.' Ik liep voor Teddie uit, via de
gang naar de woonkamer.
Er klonk acuut een hels geblaf.
Teddie grinnikte. 'Goeie alarminstallatie.'
Ja, als er een *Idols* voor honden bestond, kon ze zo meedoen.
'Pas op voor je nieuwe jeans,' zei ik. 'Floortje is gek op
broekspijpen. Laatst had ze de postbode te pakken en ze liet
hem niet meer los.'
Teddie reed ineens een stuk langzamer. 'Is ze dan vals?'
'Welnee, alleen maar speels.'
Woef, woef! Haar poten krabbelden aan de deur.
Teddie was nog niet helemaal overtuigd. 'Als ze me bijt,
bijt ik terug, hoor.'

'Maak je niet druk.' Ik legde mijn hand op de klink. 'Floortje is echt hartstikke lief.'

Maar ze ging wel steeds harder tekeer. Het leek wel alsof ze dwars door de deur wilde springen.

Dus riep ik toch maar voor de zekerheid: 'Goed volk!'

Zodra ik opendeed, vloog ze de kamer in. Gelukkig begon ze meteen te kwispelen toen ze me zag.

'Ga je mee wandelen?' vroeg ik.

Ze sprong tegen Teddie op en likte haar hand.

'Ach gut, wat een scheetje ben jij, zeg.' Teddie praatte met een heel hoog stemmetje alsof ze het tegen een baby'tje had. Ik pakte de riem van het aanrecht en stopte wat hondenkoekjes in mijn zak. 'Kom, Floortje.' Ik lijnde haar aan.

Via de voordeur gingen we weer naar buiten. Ik draaide de deur stevig op slot.

Floortje bleef bij iedere lantaarnpaal staan om een plasje te doen.

'Weet je dat er speciale hulphonden voor rolstoelers bestaan?' zei Teddie. 'Lijkt me best handig. Zo'n beestje dat je pen opraapt en je huiswerk komt brengen.'

Ik trok Floortje zachtjes mee. 'Geef mij er dan maar eentje die mijn huiswerk máákt.'

Bij voorkeur een hond met een wiskundeknobbel.

'Of nog beter: een roedel sledehonden om de Tedmobile vooruit te trekken!' Teddie hield een paar onzichtbare leidsels vast. 'Die beesten gaan echt snoeihard!'

Dat kon je van Floortje niet zeggen. Ze stopte voor de zoveelste keer. Ditmaal om aan een heg te snuffelen.

Ik kreunde. 'Zo zijn we over drie uur nog niet bij het poepveldje.'

Teddie dacht even na. 'Geef eens een hondenkoekje.'

Ik pelde er eentje uit mijn zak. 'Je gaat het toch niet opeten, hè?'

Ineke was er ook toe in staat, dus je wist het maar nooit.

'Nee, gek.' Ze reed van me weg en bleef een heel eind verderop stilstaan. 'Floortje! Kijk eens.'

Aha, lokaas!

'Flooooortje!' Teddie bewoog het hondenkoekje op en neer. Hèhè, Floortje keek op en... Vroem! Ik verloor bijna mijn evenwicht, zo plotseling spurtte ze weg. Het was net een slapstick: hond sleurt meisje mee. Mijn schoenen dreunden op de stoep. Ik ontweek een geparkeerde fiets en botste bijna op een tegenligger.

Toen waren we eindelijk bij Teddie. Floortje dook op het koekje af. Hap, slik, weg.

'Goed, hè?' zei Teddie tevreden.

'Fantastisch.' Ik hijgde. 'Alleen heeft ze mijn hand er bijna af gerukt.'

We staken de straat over. Bij de eerstvolgende boom treuzelde Floortje alweer.

'De koekjeslist?' vroeg Teddie.

Ik voelde aan mijn pijnlijke pols. 'Nee, ik heb een beter plan.' Ik tilde Floortje op en zette haar op Teddies schoot.

'Als je maar niet denkt dat ik een lantaarnpaal ben,' waarschuwde ze Floortje.

Ik pakte de handvatten van de Tedmobile vast. 'Gordel om!' Ze sloeg haar armen om de hond en ik duwde hen vooruit. Floortje vond het allemaal best. Ze zat als een zeerover in een kraaiennest om zich heen te koekeloeren.

Op het poepveldje mocht ze los. Ze achtervolgde een vogeltje en buitelde door het gras. Wij bleven wijselijk aan de kant staan kijken, want het veldje was één drollentapijt.

'Wat is het toch een snoepie,' zei Teddie. 'Ik zou haar best vaker uit willen laten.'

'Normaal gesproken doet mijn buurjongen Robert het altijd als hij uit school komt.' Ik blies een haarpiek uit mijn gezicht. 'Maar hij had werkweek of zoiets.'

Floortje zakte door haar achterpoten.

'Ze gaat poepen.' Teddie moedigde haar aan. 'Goed zo, lekker drukken, meisje!'

Lekker! Ik kneep lachend mijn neus dicht.

Floortje krauwde met haar poten in het gras. Daarna kwam ze op ons af gerend.

'Ze heeft wel een koekje verdiend,' vond Teddie.

Ik haalde er eentje uit mijn zak en gaf het aan Floortje. Toen klikte ik de riem weer aan haar halsband. 'Zo, nu ben je onderhand wel uitgepiest. Kun je op de terugweg tenminste doorlopen.'

Ik maakte de voordeur open en duwde de Tedmobile over de drempel. Floortje hield haar kop scheef.

'Ze hoort iets,' zei Teddie.

'Kan niet.' Ik ging de woonkamer in. 'Er is niemand thui...'

Toen hoorde ik het ook. De achterdeur!

Floortje bleef stokstijf stilstaan. Ze trok haar lip op en gromde.

'Misschien ging de werkweek niet door?' fluisterde Teddie.

Er klonk gekuch in de keuken.

'Robert hoest niet zo zwaar.' Ik probeerde zo zachtjes mogelijk te praten, wat niet meeviel als de zenuwen door je keel gierden. 'De buurman dan?'

'Die is nooit voor zeven uur terug van zijn werk.'

'Misschien is hij ziek geworden en eerder naar huis gegaan.'

Grrr, grrr, deed Floortje.

Ik schudde mijn hoofd. 'Dan zou Floortje het geluid wel herkennen.'

'Dus is het een inbreker,' zei Teddie stellig.

'Een i-inbreker.' Het was alsof er duizend miertjes langs mijn ruggengraat renden.

'Ja, wie anders?' Teddies ogen schoten heen en weer en stopten bij de tafel.

'Wat ga je doen?' vroeg ik. 'Je verstoppen?'

Dat lukte dus nooit met haar Tedmobile.

Teddie kroop niet onder de tafel. Ze tilde een ijzeren kandelaar van het kleedje en haalde er alle kaarsen uit. 'Bij gebrek aan een honkbalknuppel.'

Van te veel actiefilms verweekten je hersens.

'We kunnen beter de politie bellen.' Ik tastte naar mijn mobieltje.

Te laat! De keukendeur ging open.

Floortje blafte.

'Ik dacht al dat ik iets hoorde!' Voor ons stond een man. Of zeg maar: een reus. Hij zou op zijn knieën moeten gaan zitten en dan ook nog buigen, wilde Teddie zijn hersens kunnen inslaan. Zijn handen hadden het formaat van honkbalhandschoenen en zijn schoenen leken op roeiboten. Floortje deed een uitval naar zijn broekspijpen en trok de riem helemaal strak, zodat mijn hand voor de tweede keer bijna werd afgerukt.

'B-bent u een inbreker?' vroeg ik met overslaande stem.

De man keek me niet al te snugger aan.

'Zeker weten!' Teddie wees naar de gereedschapskist die hij bij zich had. 'Daar zit natuurlijk een koevoet in. En zo'n apparaatje om een stuk glas uit de ramen te snijden.'

De man deed een stap dichterbij. 'Je hebt te veel politieseries gezien, meisje.'

'Daar blijven!' Teddie zwaaide dreigend met de kandelaar.

Hij grinnikte. 'Oew, wat ben ik bang!'

Maar Floortje hapte in de lucht en toen bleef hij toch maar staan.

'Hoe ben je binnengekomen?' vroeg Teddie streng.

'Gewoon, met de sleutel,' antwoordde de man. 'Die lag zoals afgesproken onder de bloempot.'

'Stelletje sufferds,' mompelde Teddie. 'Daar kijken inbrekers altijd het eerst.'

Ik begon langzamerhand te denken dat ze stiekem een inbraakcursus had gevolgd.

'Maar wat doen jullie hier?' De man wreef in zijn pluizige haar. 'Er zou niemand thuis zijn.'

Misschien was hij toch geen inbreker. Dieven poepten soms uit angst op de plaats van de misdaad, dat had ik wel eens ergens gelezen. Maar deze man zag er totaal niet bang uit.

'Gaat je niks aan. Wat doe jij hier?' Teddie hield de kandelaar nog steeds in de aanslag.

'Ik kom de kraan repareren.' Hij zette de gereedschapskist neer. 'Maar op deze manier kan dat wel even gaan duren.'

Teddie keek me vragend aan.

'De buurvrouw heeft niets over een loodgieter gezegd,' zei ik.

'Ha!' riep Teddie. 'Daar trappen we dus niet in, meneertje.' Hij stak grijnzend zijn armen uit. 'Als je me niet vertrouwt, mag je me aan de leugendetector leggen.'

Floortje blafte meteen weer.

'Ze ruikt zijn angstzweet.' Teddie knikte naar de bank. 'Ga daar zitten. En denk erom, geen grapjes, anders sturen we de hond op je af.'

De man lachte ongelovig.

'Ze heeft al drie dagen niet gegeten,' verzon Teddie toen ook nog.

Hij keek op zijn horloge. 'Heel komisch allemaal, maar als jullie me nu aan het werk willen laten?' Hij pakte zijn gereedschapskist en draaide zich om.

Dat vond Floortje geen goed idee. Ze trok zo hard aan de riem, dat die uit mijn hand glipte. Toen ging ze achter de man aan. Als een piraat die een schip entert, klom ze in zijn broekspijp en zette haar tanden in de stof. De man liet zijn gereedschapskist vallen en probeerde Floortje met zijn grote handen weg te duwen. Maar het ging net als bij de postbode: haar kaken leken wel vastgelijmd.

Dat vond de man duidelijk minder komisch. 'Haal dat beest van me af,' mopperde hij. 'Anders moet ik hem schoppen.'

Dierenbeul!

'Als je dat maar laat!' Ik wilde al op Floortje af rennen, maar Teddie hield me tegen.

'Ben je gek,' zei ze. 'Alleen als hij zich overgeeft.'

'Jullie zijn volkomen geschift!' riep de man, terwijl hij wanhopig aan de halsband trok.

'Vooruit.' Teddie legde de kandelaar op haar schoot, reed naar hem toe en pakte de kandelaar weer op. 'Handen omhoog of ik schiet... eh... sla!'

Hij keek nog steeds een beetje boos maar moest toch ook weer lachen. 'En dan haal je die hond weg?'

'Beloofd!' Ik haalde een koekje uit mijn jaszak.

'Handen.' Teddie propte de kandelaar tussen haar benen en wikkelde vlug haar das los. Daarna knoopte ze hem om de polsen van de man. 'En nu op de bank gaan zitten.'

Dat viel niet mee als er een hond als een blok aan je been hing.

'Floortje, kijk eens.' Ik hield het koekje bij haar neus.

Gelukkig was ze nog gekker op koekjes dan op broekspijpen. Hap, slik, weg.

De man ging hoofdschuddend op bank zitten. 'Volkomen geschi...' Toen sloeg hij op zijn knie. 'Nou snap ik het! Zeg het maar, waar hangt de verborgen camera?'

Teddie en ik keken elkaar aan.

'Ik denk dat we toch beter de buurvrouw kunnen bellen,' zei ik.

Teddie knikte. 'Oké.'

Alleen... 'Ik ken het nummer van haar werk niet.'

'Ze heeft een mobiel.' De man klopte met zijn aan elkaar geknoopte handen op zijn binnenzak. 'Ik heb hier een lijst met alle adressen en nummers van de klanten.'

'Maud?' zei de buurvrouw verbaasd. 'Is er iets met Floortje?'
'Nee, maar…' Ik kneep in de hoorn. 'Er is hier een man, die beweert dat hij de kraan komt repareren.'
'O, dat is waar ook!' riep ze uit. 'Wat stom van me. Het was hier gisteren ook zo'n gedoe vanwege die werkweek. Robert was zijn slaapzak kwijt en… nu ja, daardoor ben ik helemaal vergeten om het je te vertellen.'
'O.' U wordt bedankt, dacht ik er achteraan.

We hadden koffiegezet om het goed te maken.
'Koekje erbij?' vroeg Teddie.
Floortje tilde haar kop op.
Meneer Broeders (zo heette de loodgieter) voerde haar een stukje. 'Ik heb nog nooit zulke maffe meiden ontmoet.'
'Sorry,' zei ik voor de honderdste keer. 'Het spijt ons echt heel erg.'
'Ach, het was ook best dapper.' Hij roerde peinzend in zijn koffie. 'Als jullie een bijbaantje zoeken: mijn broer is eigenaar van Security Services, een bedrijf dat gebouwen en beroemde mensen bewaakt en beschermt. Hij kan vast wel een stel stoere meiden gebruiken.'
'Ons!' Teddies ogen flonkerden.
Meneer Broeders trok een ernstig gezicht. 'Binnenkort komt Brad Pitt naar Nederland en…'
'Jemig,' fluisterde Teddie.
Ja hoor!
'Waar hangt die verborgen camera?' vroeg ik lachend.
Teddie was twee tellen verbluft.
'Oooooo!' Toen schaterde ze het uit.

Verliefd & Verraden

'Een rol in *V&V*?' Teddie hyperventileerde bijna.

Haar zus Ingrid had net verteld dat ze auditie had gedaan voor *Verliefd & Verraden*. De soap werd sinds een paar weken op tv uitgezonden en was nu al een kijkcijferkanon. Dat kwam hoofdzakelijk door Wouter Westra. Hij speelde de rol van Duco Jansma, oftewel DJ, zoals hij door zijn fans werd genoemd. Hij zag eruit als een engel met zwart haar en knalblauwe ogen. Half Nederland was verliefd op hem.

'Het is maar een rolletjú,' zei Ingrid. 'In aflevering 22 mag ik in de armen van Duco sterven.'

'In DJ's armen sterven.' Teddie zuchtte alsof ze zich niets heerlijkers kon voorstellen.

'Je weet dat het altijd live wordt uitgezonden?' vroeg Ingrid. 'Met publiek.'

Nou ja, live. Ik bedoel: het was wel een stérfscène.

'Wie weet dat nou niet?' zei Teddie chagrijnig. 'Helemaal in Aalsmeer.'

'En nu mag ik twee mensen meenemen naar de studio.' Ingrid zweeg even. 'Dus ik dacht...'

Teddie en haar moeder, natuurlijk. Ik was heus niet verliefd op DJ, maar toch was ik een tikkeltje jaloers.

'Wat?' riep Teddie.

Ingrid sloeg haar benen over elkaar. '…dat jullie dat wel leuk zouden vinden.'

Jullie! Mijn hart begon in mijn borstkas te jumpen.

'Maud en ik?' Teddie steigerde bijna uit haar Tedmobile.

'Ja, mama vindt er heus niks aan.' Ingrid keek naar hun moeder. 'Bovendien kan ze dan mooi op Lieske passen.'

Een week later zaten we bij Ingrid in de auto, op weg naar Aalsmeer.

'Dus DJ wordt verliefd op je?' vroeg Teddie.

'Voor de tweede keer,' antwoordde Ingrid. 'Op de middelbare school hebben we ook al verkering gehad.'

En dat vertelde ze nu pas!

Ik kneep in de rugleuning van haar stoel. 'Echt waar?'

'Zou ze wel willen.' Teddie grinnikte. 'In de serie natuurlijk.'

O. Teleurgesteld liet ik me weer achterovervallen.

'Precies,' zei Ingrid. 'En nu ontmoeten we elkaar bij toeval in een disco en slaat de liefde meteen weer toe.'

'Maar hij heeft toch al wat met Phoebe?' vroeg ik.

Phoebe was DJ's vriendin in de serie; een rol die door Wendy Huybrechts werd vertolkt. Ze zag eruit als een poeziealbumplaatje en hoefde maar met haar Bambi-ogen te knipperen om iedere man aan haar voeten te krijgen. Maar in werkelijkheid was ze een nog veel groter kreng dan Jessica. Nou ja, de werkelijkheid van de soap dan.

'In deze aflevering laat Phoebe eindelijk haar ware aard zien,' zei Ingrid. 'Ze wordt vreselijk jaloers. Zo erg, dat ze Duco neerschiet.'

'Hij gaat toch niet dood?' riep Teddie verschrikt.

Ja, dat leek me behoorlijk suf. Dan zou er geen kip meer naar *V&V* kijken.

'Nee, ik spring ervoor en vang de kogel op.' Ingrid legde haar hand op haar borst. 'Hij komt recht in mijn hart en dan overlijd ik in Duco's armen.'

O ja, de sterfscène.
'Ik hoop dat die stomme Phoebe levenslang krijgt,' zei Teddie.

We meldden ons bij de receptie van het studiocomplex. Achter de balie zat een meisje in een zuurstokroze truitje. Aan de kraag bungelde een naamkaartje, zodat ik kon lezen dat ze Sandy heette. Ze belde ene Luuk om te zeggen dat Ingrid was gearriveerd.

'De tweede regieassistent,' fluisterde Ingrid.

'Daar is de wachtruimte voor het publiek.' Sandy wees met haar al net zo zuurstokroze gelakte nagel naar een glazen hok met een koffieautomaat. 'Jullie worden straks door Miranda opgehaald.'

Die 'jullie' waren Teddie en ik dus.

Sandy zag ons niet meer staan en was alweer druk aan het telefoneren. Boven haar hoofd hing een rij beeldschermen. Het geluid stond niet aan, maar ik herkende een praatprogramma en een spelletjesshow.

'Ik ga dus echt niet de hele tijd in dat aquarium zitten,' mompelde Teddie. 'De opname is pas over een uur en ik wil DJ zien.'

'Straks,' zei Ingrid. 'Tijdens de uitzending.'

'Het kan nu al.' Ik wees naar het tweede beeldscherm. DJ liep door een lege discotheek. Dat was natuurlijk de set waar het straks allemaal ging gebeuren.

'Hallootjes!' Een man – spijkerpak, witte lakschoenen en kuif – kwam naar ons toe.

'Mijn zus Teddie en haar vriendin Maud,' stelde Ingrid ons voor.

'Luuk.' Volgens mij schrok hij een beetje van de Tedmobile. 'Dus jullie komen de uitzending bijwonen?'

'Klopt,' zei Teddie. 'Maar ik hoop dat we ook een kijkje achter de schermen mogen nemen.'

Ingrid werd net zo rood als haar bloesje. Ze seinde met haar ogen naar Teddie: doe niet zo brutaal!

Soms is het helemaal niet zo vervelend dat veel mensen medelijden met rolstoelers hebben.

Luuk keek naar de Tedmobile. 'Vooruit dan.'

Via een heleboel gangen en doorsteekjes kwamen we in studio 1. Eigenlijk was het gewoon een zwarte doos met stoelen voor het publiek en een toneel met een nagebouwde disco voor de acteurs. Iemand was bezig met het licht en een ander testte het geluid. Wouter en Wendy stonden als DJ en Phoebe op de dansvloer een ruziescène te repeteren. Een aantal mensen keek geboeid toe en achter de nepbar zette een jonge vrouw wat glazen recht.

'Figuranten 5 tot en met 10 naar de grime!' riep Luuk.

Wendy zocht in haar tasje. 'Mijn pistool zit er niet in.'

'Requisieten!' Luuk wenkte een meisje met lang golvend haar.

Teddie wees naar een tafeltje. 'Daar ligt hij.'

'O, bedankt.' Wendy kwam naar ons toe. 'Komen jullie figureren?'

Ze was nog mooier dan op tv!

'Alleen maar kijken,' antwoordde Teddie met een blik van: jammer genoeg.

Ingrid legde uit wie we waren.

'Leuk.' Wendy keek om. 'Hé, Wouter, kom even hallo zeggen.'

'Ze is superaardig,' fluisterde Teddie iets te hard in mijn oor.

Wendy lachte. 'Maar het is wel heerlijk om af en toe een bitch te spelen.'

Wouter slenterde op ons af.

'Hij is nogal verlegen,' zei Wendy zacht.

Ik kon het me nauwelijks voorstellen. Ik bedoel: hij was hartstikke beroemd!

'Hoi.' Hij gaf ons een hand. 'Wouter, beter bekend als DJ.'
'Alsof we dat niet weten,' flapte Teddie eruit.
Nu werden Ingrid en ik allebéí net zo rood als haar bloesje.
'Zij is Teddie en ik ben Maud,' zei ik snel.
Luuk tikte Ingrid op haar schouder. 'Ga jij je vast omkleden?'
We kregen een foto met handtekeningen van Wendy en Wouter. Toen gingen we met Ingrid naar een kleedkamer, waar ze haar rode bloesje moest uittrekken.
Mo (de man van de *special effects*) plakte een zakje op haar borst. 'Dus zodra je de revolver hoort knallen, plet je het zakje en dan verschijnt er een bloem van bloed rond je hart.'
Ze kreeg er een hagelwit bloesje over aan, zodat de vlek goed zou opvallen.
Mo bekeek het resultaat. 'Mooi zo, niets van te zien. Je bent klaar voor de grime.'
Ingrid tuurde op haar horloge. 'Jullie kunnen beter naar de wachtruimte gaan. Over tien minuten wordt het publiek opgehaald.'
Teddie knikte. 'Oké. Maar ik moet eerst nog even naar de wc.'
'Er is een invalidentoilet bij studio 4.' Mo ratelde de route af als een op hol geslagen tomtom. 'Gang uit, derde gang links, tweede gang rechts, rode deur, aan het eind rechtsaf en daar hangen bordjes met toiletten.'
'Tot na de uitzending!' riep Ingrid.
Ik stak mijn duim op. 'Veel succes.'
'Je moet *break a leg* zeggen,' zei Teddie. 'Anders brengt het ongeluk.'

Het studiocomplex was een doolhof. We moesten drie keer vragen waar het invalidentoilet was, voordat we het eindelijk vonden.
'Snel doorpiesen,' commandeerde ik.

Toen ze klaar was, hadden we nog drie minuten en weer een probleem. Hoe kwamen we snel genoeg bij de wachtruimte?

'Die deur komt me bekend voor!' riep Teddie.

Tsss, we waren al vijftig precies dezelfde rode deuren gepasseerd.

Ze klopte aan, maar aan de andere kant reageerde niemand. Dus gluurde ze door de kier. 'Een soort voorraadkast met decorstukken.'

Zie je wel.

Ik wees naar een zijgang. 'Mijn richtingsgevoel zegt dat we die kant op moeten.'

We kwamen bij een rij gele deuren, die we nog niet eerder hadden gezien. Gelukkig ging er eentje open; een man stapte naar buiten met een map onder zijn arm. 'De wachtruimte voor bezoekers? Maar dan zijn jullie helemaal verkeerd. Teruglopen en dan de tweede gang links nemen. De groene deuren blijven volgen en dan kom je er vanzelf.'

'Je moet maar nooit meer naar je richtingsgevoel luisteren,' zei Teddie.

Ze zoefde door de gangen en ik holde achter haar aan. 'Dat halen we nooit meer.'

Inderdaad. Ineens stonden we bij de receptie. Sandy zat met haar rug naar ons toe. De glazen wachtruimte achter haar was leeg.

'Sandy roepen?' fluisterde ik.

'Echt niet!' Teddie schudde woest haar hoofd. 'Stel je voor dat ze ons niet meer binnenlaten. Ik wil er wel bij zijn als Ingrid wordt neergeknald.'

Tja, daar zat wat in.

'Kom.' Ze keerde de Tedmobile. 'We zoeken gewoon zelf de weg terug naar de studio.'

Nou ja, gewoon. Het duurde een eeuwigheid voordat we eindelijk een bordje zagen met STUDIO 1 erop.

'Hierlangs.' Teddie reed een donker gangetje in.

Ik zag een rode lamp branden en hoorde zachte discomuziek. 'Ehm.'

Maar ze reed al door – Boef! – over een snoer heen. Ik liep haar achterna, het hoekje om en...

'Hou je mond, vuile verrader!' klonk de stem van Phoebe naast me.

Shiiiiiiit. We waren niet bij de stoelen aanbeland maar stonden op het toneel!

'Oeps,' zei Teddie.

Waarschijnlijk zagen we er nogal schaapachtig uit, want het publiek begon te lachen.

Ingrids mond viel open. Aan haar gezicht te zien, had ze ons het liefst vermoord.

'Maar...' DJ's ogen bewogen zenuwachtig heen en weer.

Doorspelen, gebaarde de regisseur vanaf de zijkant.

Dat was waar ook: de uitzending was live! Op dit ogenblik zaten er een miljoen mensen naar ons te kijken. Mijn hoofd veranderde in een discobal. Ik gloeide van schaamte én van het gele spotje boven me.

'Ik haat je!' Phoebe graaide in haar handtas naar haar pistool en richtte het wapen op DJ.

De camera kwam dichterbij. Straks kon heel Nederland mijn pukkeltjes tellen! Ik deed vlug een stap opzij, zodat ik niet meer in de spotlight zou staan.

Dat was dus de flater van mijn leven!

Ik struikelde over een kabel en zocht steun aan het eerste het beste dat ik tegenkwam: Teddies rolstoel. Ik had nog beter mijn tanden door mijn lip kunnen vallen! De discovloer liep af en de Tedmobile rolde naar voren. Die suffe Teddie was zo verbouwereerd dat ze het gewoon liet gebeuren. Ik holde achter haar aan om de handvatten te grijpen, maar toen stond de Tedmobile al tussen DJ en het pistool in, precies op het moment dat Phoebe schoot.

Knal!

Niet Ingrid had de kogel opgevangen, maar Teddie.

'En cut!' riep de regisseur.

De opnameleider wroette in zijn haar. 'We hebben vijf minuten voor het reclameblok voorbij is.' Het was duidelijk dat hij ons het liefst had uitgescholden. Waarschijnlijk hield hij zich in omdat er publiek bij was.

'Sorry,' perste ik uit mijn keel.

'Ze kon er heus niets aan doen.' Teddie pakte mijn hand vast. 'Het was een ongelukje.'

'Een ramp, bedoel je.' Ingrid leek net een kwaaie pitbull. Ik verwachtte bijna dat ze ons zou gaan bijten.

'Nog vier minuten,' zei de opnameleider wanhopig.

'We kunnen niet meer terugdraaien dat ze is geraakt.' De regisseur dacht even na. 'Script aanpassen.'

'En mijn sterfscène dan?' vroeg Ingrid.

'Jij blijft leven.' Hij wees naar Teddie. 'Zij gaat dood.'

'Requisieten!' riep Luuk.

Mo verhuisde het zakje bloed van Ingrids naar Teddies borst.

De opnameleider stak een vinger op. 'Nog één minuut!'

'Posities innemen.' De regisseur gaf nog een paar aanwijzingen. Ook aan Teddie en mij. 'En actie!'

Teddie greep naar haar hart en plette het zakje zodat er een bloem van bloed op haar bloes kwam. Toen schokte ze met haar bovenlijf en rolde met haar ogen. Ik was nog zo overstuur van mijn afgang dat ik spontaan begon te janken. Teddie liet haar armen vallen en draaide haar hoofd weg. Toen blies ze haar laatste adem uit.

Man, wat was ze goed! Ik was diep onder de indruk en het publiek ook, want je kon een speld horen vallen. Daarna ging alles razendsnel. Het barmeisje belde het alarmnummer. De politie arresteerde Phoebe en een rechercheur in een regenjas onderzocht het lijk. Daarna werd Teddie in haar Tedmobile afgevoerd. Ik liep nog nasnikkend achter haar aan.

Na de uitzending gingen we met alle acteurs en medewerkers nog wat drinken.
'Ik dacht dat ik een rolberoerte kreeg,' zei Wouter.
Anders ik wel!
Ingrid keek ons pissig aan. 'Voordat ik jullie nog eens meeneem.'
Ik tuurde naar mijn schoenen.
'Ach.' De regisseur gaf Teddie een schouderklopje. 'Je hebt wel meesterlijk gespeeld.'
Teddie groeide minstens een meter. 'Het was honderd keer beter dan Brad Pitt bewaken.'
'Heb jij Brad bewaakt?' riep Wendy uit.
'Nou ja, bijna.' Teddie ging er eens goed voor zitten.
Hallo, één afgang per dag was meer dan genoeg.
'Lang verhaal,' zei ik vlug.
Pfff, Teddie snapte de hint en zweeg.
'Maar hoe gaat het nou verder?' vroeg Wouter. 'Nu Ingrid nog leeft, klopt de verhaallijn niet meer.'
'We passen het scenario wel aan.' De regisseur legde zijn arm om Ingrids schouder. 'Ik hoop dat je de komende maanden tijd hebt om de nieuwe vriendin van DJ te spelen.'

Ingrid liep op wolkjes naast ons over de parkeerplaats. 'Ik heb nog steeds het gevoel dat ik droom.'
'Zal ik je even knijpen?' bood Teddie aan.
Ik dacht aan alle zoenscènes die ze zou gaan spelen. 'DJ kust haar wel wakker.'
'We gaan het vieren,' zei Ingrid. 'Ik trakteer op gebak.'
Teddie kwijlde al bij het idee.
Er stopte een auto. Een groepje mensen stapte uit.

'Mijn zus krijgt een hoofdrol in *V&V*!' riep Teddie tegen hen.
Ingrid kreunde. 'Kun je nou nooit eens normaal doen?'
'Wees blij.' Teddie keek zwaar beledigd. 'Als Maud niet ge-struikeld was en ik niet doodgeschoten...'
Inderdaad! Ik knikte. 'De één zijn dood is de ander zijn...'
'Chocoladetaart!' riep Teddie.

Moppie!

Mijn moeder had in het *Woon & Klusmagazine* de woonkamer van haar dromen gezien.

'Net een mokkataart,' zei mijn vader.

'Warme bruintinten,' verbeterde mijn moeder.

Dus werd de kamer een week later leeggeruimd. Het bankstel verdween naar de schuur, de eethoek naar de keuken en alle andere spullen mochten zolang op de zolder logeren.

Teddie vond het geweldig. 'Het lijkt wel een gymzaal.' Ze racete met haar Tedmobile door de lege kamer op en neer. 'Jammer dat er geen basket aan de muur hangt, dan konden we een partijtje doen.'

'Helaas, moppie.' Een man in een witte overall met verf-vlekken stapte binnen.

Moppie! Ik moest grinniken.

'Ik heet Teddie, hoor,' zei Teddie zogenaamd verontwaardigd.

'Helaas, Teddie.' Hij zette een emmer met kwasten neer. 'Ik word alleen maar betaald om een partijtje te schilderen.'

Mijn vader heeft twee linkerhanden. Daarom hadden mijn ouders een schilder ingehuurd.

'Zo is dat.' Mijn moeder kwam ook de kamer in. 'En ik wil niet dat jullie Piet in de weg lopen.'

'Lopen.' Piet knipoogde naar Teddie. 'Dat zal moeilijk gaan, hè, mop?'

Mijn moeder kleurde, maar Teddie lachte. 'Moeten we helpen sjouwen? Ik ben een prima kruiwagen.'

'Nou.' Hij gebaarde door het raam. 'Mijn busje staat daar.'

Mijn moeder verdween hoofdschuddend naar de keuken. Piet en ik liepen achter Teddie aan naar buiten. Hij stalde een brander en een paar verfbakken op Teddies schoot. Ik kreeg een stapel lappen in mijn handen gestopt en zelf droeg hij een schuurmachine. We brachten alles naar de woonkamer.

'Goed gereedschap is het halve werk.' Piet stroopte zijn mouwen op. 'Oké, kozijntjes. We zullen jullie eens lekker gaan strippen.' Nog voor hij de brander kon aansteken, ging zijn mobiel. 'Dat is vast Carla,' zei hij nerveus.

'Je moppie?' vroeg Teddie, terwijl ze zo breed glimlachte dat haar gezicht bijna doormidden spleet.

Hij knikte. 'Ze is negen maanden zwanger.' Hij hield de telefoon bij zijn oor en wreef door zijn haar. 'Hmmm, ja, oké.' Opgelucht hing hij op. 'Nog niks aan de hand. Ze wil dat ik straks chocoladekoeken voor haar meeneem. Daar is ze gek op sinds...' Hij streek langs zijn buik.

'Ik ben ook gek op chocola!' riep Teddie.

Toen we de volgende dag uit school kwamen, was Piet alweer hard aan het werk. Hij had de kozijnen inmiddels in de grondverf gezet en sausde nu het plafond lichtbeige met een roller aan een stok.

'Voor jullie.' Hij knikte naar een pak chocoladekoeken.

Die Piet was echt een schatje! Hadden we maar zulke leraren op school.

'Bedankt!' riepen Teddie en ik tegelijkertijd.

Teddie maakte het pak meteen open en deelde uit. 'Hoe is het met Carla?' vroeg ze met haar mond vol.

'Nog steeds een koekjesmonster,' antwoordde Piet. 'Maar verder geen nieuws.'

'Weten jullie al wat het wordt?' Ik ging met mijn koek op het deksel van een verfemmer zitten. 'Een jongen of een meisje?'

Piet schudde zijn hoofd. 'Dan is de verrassing eraf, zegt Carla.'

'Ik zou haar wel eens willen zien.' Teddie keek hem nieuwsgierig aan. 'Heb je niet toevallig een foto bij je?'

'Jazeker.' Hij zette de stok in de emmer en viste zijn mobieltje uit zijn zak. 'Dit is ze.' Trots toonde hij ons het schermpje. We zagen een tengere vrouw met een gigantische buik. Het leek wel alsof ze een skippybal had ingeslikt. 'Dat gaat niet lang meer duren,' zei ik.

Piet stopte zijn mobiel weer weg. 'Ik hoop dat ze nog wel even wacht tot deze klus is geklaard.' Hij ging weer verder met het plafond en zong keihard: 'Baby, baby...'

'Beetje vals, moppie.' Teddie stak haar vingers in haar oren.

Op zaterdag gingen mijn ouders een tante van mijn moeder bezoeken.

'Dus jullie zorgen voor Piet,' zei mijn moeder tegen Teddie en mij. 'Koffie, broodjes. Het beleg ligt in de koelkast.'

Dadelijk ging ze ook nog uitleggen hoe we de tafel moesten dekken.

'Jaja.' Ik duwde mijn ouders zo ongeveer naar buiten en zwaaide hen uit.

Piet was klaar met de muren en het plafond. De kozijnen leken van pure chocola.

'Nu de vloer nog.' Hij had de planken geschuurd en stofvrij gemaakt. 'Jullie mogen er niet meer overheen lopen of rijden.'

Teddie zuchtte teleurgesteld.

Met een schroevendraaier wipte Piet het deksel van de bus.

Daarna stak hij een roerhoutje in de eikenbruine beits. Mijn vader had gelijk: de kamer werd een mokkataartje.

Ik kreeg er honger van en zei tegen Teddie: 'Kom, we gaan vast broodjes smeren.'

Piet zat op zijn knieën de vloer te beitsen, toen zijn mobiel rinkelde.

'Carla?' Hij rolde met zijn ogen en ging ineens heel zwaar ademen. 'Ik kom eraan!'

'Gaat ze bevallen?' vroeg ik gespannen.

'Yep.' Piet was ineens niet handig meer. Hij mikte bijna zijn mobiel in de pot met beits en wilde zijn kwast in zijn zak stoppen.

'Rustig aan, mop,' zei Teddie. 'Die baby floept er heus niet meteen uit.'

'Ik moet Carla naar het ziekenhuis brengen.' Hij keek nerveus om zich heen.

'Wij ruimen wel op,' zei ik.

'Oké, dan.' Hij holde via de keuken naar buiten.

Teddie pakte een sleutelbos van de vensterbank. 'Die komt niet ver.'

Ja hoor, Piet kwam weer naar binnen gestormd. Hij rukte de sleutels uit Teddies hand en rende weer naar buiten. Even later reed hij met gierende banden weg.

'Ik hoop dat hij het ziekenhuis nog kan vinden,' zei ik.

Teddie knikte. 'En dat hij Carla niet vergeet.'

Ik keek naar de planken vloer. Piet had nog maar een klein stukje gedaan.

'Mijn ouders zullen wel balen,' zei ik.

Teddie zoog haar lip naar binnen. 'Als wij het nou eens afmaken? Zo moeilijk is dat niet.'

'Wij?' Ik keek naar de Tedmobile.

Teddie haalde haar schouders op. 'Ik kijk wel of je geen plekjes vergeet.'

Beitsen bleek inderdaad niet zo moeilijk. En de kwast was lekker breed, dus ik schoot al aardig op.

'Pas op de plintjes!' riep Teddie telkens.

Stukje voor stukje schoven we achteruit.

'Het wordt hartstikke mooi,' vond Teddie.

'Als jij opzij gaat wel, ja,' zei ik. 'Ik kan niet verven met een rolstoel in mijn nek.'

Het bleef even stil.

'Maud,' klonk het toen zacht.

'Wat?' Ik keek om.

Toen drong het pas tot me door: Teddie kón niet meer opzij. De Tedmobile stond in de hoek tussen de muur en het raam. Op een onbeschilderd eilandje. Hetzelfde eilandje waar ik op zat. Om ons heen lag een zee van prachtig gebeitste planken. En helemaal aan de overkant was de deur!

'Oeps,' zei ik.

'Hoe lang moet het drogen?' vroeg Teddie benauwd.

Ik las de kleine lettertjes op de bus. 'Zes uur.'

'Kon mijn Tedmobile maar vliegen.' Teddie zuchtte. 'Zes uur niet eten, drinken en plassen.'

Ik dacht even na. 'Het raam!'

'Zie je mij al naar buiten klimmen?' Teddie stompte op de armleuningen van haar rolstoel.

'Maar ik kan wel hulp halen.' Ik klauterde op de vensterbank en duwde de hendel omhoog. Het raam klemde een beetje van de verf, maar na wat wrikken schoot het toch open.

'Zo terug.' Ik sprong in de voortuin en plette de kerstrozen van mijn moeder. Sorry, mam. Ik liep over het tuinpad naar het huis van de buren. En nu maar hopen dat ze thuis waren!

De buurman moest eerst tien minuten lachen. Toen gingen hij en zijn vrouw en zoon Robert met me mee.

'Zal ik de videocamera even halen?' bood Robert aan. 'Voor dat programma: de leukste thuis.'

'Haha,' deed Teddie. 'Kom me liever redden.'

De buurman klom naar binnen en tilde haar uit de Ted-mobile. Hij zette haar op de vensterbank, met haar benen buitenboord. Robert en zijn moeder maakten een stoeltje van hun armen en takelden Teddie omhoog.

'Jullie kunnen wel bij de brandweer gaan werken,' zei Teddie, terwijl ze zich aan hun schouders vastklemde.

De buurman vouwde de Tedmobile op, zodat hij door het kozijn paste.

Ik nam de rolstoel van hem over en plantte hem op het gras. Nog even alles vastzetten. 'Komt u maar.'

Robert en zijn moeder lieten Teddie op de zitting zakken.

'Missie geslaagd!' riep Teddie blij.

Ik keek naar het perkje onder het raam. 'Behalve voor de kerstrozen.'

De volgende dag kwam Piet apetrots vertellen dat hij vader was geworden van een zoon.

'Hoe heet hij?' vroeg ik.

Teddie grijnsde. 'Moppie, zeker?'

'Nee, Wim.' Piet haalde meteen zijn mobieltje tevoorschijn.

'Maar het is wel een moppie!'

We keken naar het baby'tje op het schermpje. Ik zei maar niet dat ik hem op een oud mannetje vond lijken.

Piet keek naar de vloer in de woonkamer. 'Huh?'

'Dat hebben wij gedaan,' zei Teddie opschepperig.

'Ahum,' deed ik.

'Nou ja, Maud,' gaf ze toe.

'Strak werk, alleen...' Piet kreeg pretlichtjes in zijn ogen. 'Je bent een hoekje vergeten.'

Teddie vertelde het hele verhaal, inclusief de reddingsactie.

'Een klassiek beginnersfoutje.' Piet knikte diepserieus. Maar

toen begon zijn buik te schudden en kwam er een bulde-
rende lach uit zijn keel. 'Moppies, wat een reuzenmop! Ik ga
het straks meteen aan Carla vertellen!'